Manuscrito encontrado em Accra

Publicado em acordo com Sant Jordi Asociados Agencia Literaria
S.L.U., Barcelona, Espanha.

www.paulocoelho.com
www.paulocoelhoblog.com

PREPARO DE ORIGINAIS: Virginie Leite
REVISÃO: Hermínia Totti e Rafaella Lemos
PROJETO GRÁFICO E DIAGRAMAÇÃO: Ana Paula Daudt Brandão
CAPA: Raul Fernandes
IMAGEM DE CAPA: Latinstock / George Steinmetz / Corbis (DC)
IMPRESSÃO E ACABAMENTO: Lis Gráfica e Editora Ltda.

CIP-BRASIL. CATALOGAÇÃO-NA-FONTE
SINDICATO NACIONAL DOS EDITORES DE LIVROS, RJ

C614m
     Coelho, Paulo, 1947-
        Manuscrito encontrado em Accra / Paulo Coelho; Rio de Janeiro:
     Sextante, 2012.
       176p.; 14x21 cm

       ISBN 978-85-7542-822-1

      1. Ficção brasileira. I. Título.

12-4148   CDD: 869.93
                                       CDU: 821.134.3(81)-3

Todos os direitos reservados, no Brasil, por
GMT Editores Ltda.
Rua Voluntários da Pátria, 45 – Gr. 1.404 – Botafogo
22270-000 – Rio de Janeiro – RJ
Tel.: (21) 2538-4100 – Fax: (21) 2286-9244
E-mail: atendimento@esextante.com.br
www.sextante.com.br

Ó Maria, concebida sem pecado, rogai por nós,
que recorremos a Vós. Amém.

Filhas de Jerusalém, não choreis por mim;
chorai antes por vós mesmas, e por vossos filhos.

Lucas 23:28

Prefácio e saudação

Em dezembro de 1945, dois irmãos que buscavam um lugar de descanso encontraram uma urna cheia de papiros numa caverna na região de Hamra Dom, no Alto Egito. Em vez de avisarem às autoridades locais – como exigia a lei –, resolveram vendê-los pouco a pouco no mercado de antiguidades, evitando desta maneira chamar a atenção do governo. A mãe dos rapazes, temendo a influência de "energias negativas", queimou vários dos papiros recém-descobertos.

No ano seguinte, por razões que a história não registrou, os irmãos brigaram entre si. Atribuindo o fato às tais "energias negativas", a mãe entregou os manuscritos a um sacerdote, que vendeu um deles para o Museu Copta do Cairo. Ali os pergaminhos ganharam o nome que têm até hoje: Manuscritos de Nag Hammadi (uma referência à cidade mais próxima das cavernas onde foram achados). Um dos peritos do museu, o historiador religioso Jean Doresse, entendeu a importância da descoberta, citando-a pela primeira vez em uma publicação de 1948.

Os outros pergaminhos começaram a aparecer no mercado negro. Em pouco tempo o governo egípcio se deu conta da importância da descoberta e tentou impedir que os manuscritos saíssem do país. Logo depois da revolução de 1952, a maior parte do material foi entregue ao Museu Copta do Cairo e declarado patrimônio nacional. Apenas um texto escapou ao cerco, aparecendo em um antiquário belga. Houve inúteis tentativas de vendê-lo em Nova York e Paris, até que foi finalmente adquirido pelo Instituto Carl Jung, em 1951. Com a morte do famoso psicanalista, o pergaminho, agora conhecido como Códex Jung, retornou ao Cairo, onde hoje estão reunidos cerca de mil páginas e fragmentos dos Manuscritos de Nag Hammadi.

* * * * *

Os papiros encontrados são traduções gregas de escritos produzidos entre o final do primeiro século da Era Cristã e o ano 180 d.C., e constituem um corpo de textos também conhecido como Evangelhos Apócrifos, já que não se encontram na Bíblia tal qual a conhecemos hoje.

Por que razão?

No ano 170 d.C., um grupo de bispos reuniu-se para definir quais textos fariam parte do Novo Testamento. O critério foi simples: deveria ser incluído tudo aquilo que pudesse combater as heresias e divisões doutrinárias da época. Foram selecionados os atuais evangelhos, as cartas

PAULO COELHO

EM FOCO

Consagrado no Brasil e no mundo, Paulo Coelho tem sua obra publicada em mais de 160 países. Entre seus maiores sucessos estão *O Alquimista*, considerado o livro brasileiro mais vendido de todos os tempos, e *O diário de um mago*.

Nascido no Rio de Janeiro, em 1947, trabalhou como diretor e autor de teatro, jornalista e compositor, antes de se dedicar à literatura.

Números impressionantes marcam a trajetória de Paulo Coelho:

• Seus livros já foram traduzidos para 73 idiomas e venderam mais de 140 milhões de exemplares.

• Mais de 10 milhões de cópias de *O diário de um mago* já foram vendidas em todo o mundo.

• Foi o vencedor de mais de 100 prêmios internacionais.

• Entrou, pela segunda vez, para o Guinness Book of Records com o seu livro *O Alquimista* – livro mais traduzido no mundo (69 idiomas).

• É o autor com o maior número de seguidores nas redes sociais, que somam 13,5 milhões entre Facebook e Twitter.

• Foi eleito a segunda celebridade mais influente do Twitter pela Revista Forbes.

SEXTANTE   www.sextante.com.br | Twitter: @sextante | Facebook: /esextante

PAULO COELHO
O AUTOR BRASILEIRO MAIS LIDO NO MUNDO.

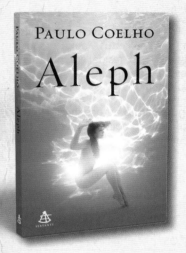

Aleph

Num tom franco, Paulo Coelho relata sua incrível jornada de autodescoberta.

Como o pastor Santiago de *O Alquimista*, o escritor vive uma grave crise de fé. À procura de um caminho de renovação e crescimento espiritual, ele resolve começar tudo de novo: viajar, experimentar, se reconectar às pessoas e ao mundo. Bonito e inspirador, *Aleph* é um convite à reflexão sobre o significado da nossa jornada pessoal.

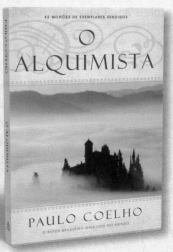

O Alquimista

Com mais de 45 milhões de exemplares vendidos, o mais famoso título de Paulo Coelho é um clássico moderno, atemporal e universal.

Esta história refaz os passos de um pastor que busca um tesouro enterrado nas Pirâmides e encontra riquezas bem mais valiosas. As lições que ele aprende no caminho nos falam da sabedoria de ouvir o coração, ler os sinais com que deparamos ao longo da vida e seguir nossos sonhos.

e tudo o que tinha uma certa "coerência", digamos, com a ideia central do que julgavam ser o Cristianismo. A referência ao encontro de bispos e a lista de livros aceitos estão no desconhecido Cânone Muratori. Os outros livros, como os encontrados em Nag Hammadi, ficaram de fora por apresentarem textos de mulheres (como o Evangelho de Maria Madalena) ou por revelarem um Jesus consciente de sua missão divina, o que tornaria sua passagem pela morte menos sofrida e dolorosa.

* * * * *

Em 1974, um arqueólogo inglês, Sir Walter Wilkinson, descobriu perto de Nag Hammadi um outro manuscrito, dessa vez em três línguas: árabe, hebreu e latim. Conhecedor das regras que protegiam os achados na região, encaminhou o texto ao Departamento de Antiguidades do Museu do Cairo. Pouco tempo depois veio a resposta: havia pelo menos 155 cópias daquele documento circulando no mundo (três das quais pertenciam ao museu) e eram todas praticamente iguais. Os testes com carbono 14 (utilizados para fazer a datação de materiais orgânicos) revelaram que o pergaminho era relativamente recente – escrito possivelmente no ano 1307 da Era Cristã. Não foi difícil traçar sua origem até a cidade de Accra (Acre), fora do território egípcio.

Portanto, não havia qualquer restrição à sua saída do país, e Sir Wilkinson recebeu permissão por escrito do governo do Egito (Ref. 1901/317/IFP-75, datada de 23 de novembro de 1974) para levá-lo à Inglaterra.

* * * * *

Conheci o filho de Sir Walter Wilkinson no Natal de 1982, em Porthmadog, no País de Gales, Reino Unido. Lembro-me de que, na época, ele mencionou o manuscrito encontrado pelo pai, mas nenhum de nós deu muita importância ao assunto. Mantivemos uma relação cordial ao longo de todos esses anos e tive a oportunidade de vê-lo pelo menos outras duas vezes quando visitei o país para a promoção de meus livros.

No dia 30 de novembro de 2011 recebi uma cópia do texto a que ele se referira em nosso primeiro encontro. Passo agora a transcrevê-lo.

Gostaria tanto de começar estas linhas escrevendo:

"Agora que estou no fim da vida, deixo para os que vierem depois tudo aquilo que aprendi enquanto caminhava pela face da Terra. Que façam bom uso."

Mas infelizmente isso não é verdade. Tenho apenas 21 anos, pais que me deram amor e educação e uma mulher a quem amo e que me ama de volta – mas a vida se encarregará de nos separar amanhã, quando cada um deverá partir em busca de seu caminho, de seu destino ou de sua maneira de encarar a morte.

Para nossa família hoje é o dia 14 de julho de 1099. Para a família de Yakob, meu amigo de infância, com quem brincava pelas ruas desta cidade de Jerusalém, estamos em 4859 – ele adora dizer que a religião judaica é mais antiga que a minha. Para o respeitável Ibn al-Athir, que passou a vida tentando registrar uma história que agora chega ao fim, o ano de 492 está prestes a terminar. Não concordamos nas datas nem na maneira de adorar a Deus, mas em todo o resto a convivência tem sido muito boa.

Há uma semana nossos comandantes se reuniram: as tropas francesas são infinitamente superiores e mais bem-equipadas que as nossas. A todos foi dada uma escolha: abandonar a cidade ou lutar até a morte, porque, com toda a certeza, seremos derrotados. A maioria resolveu ficar.

Os muçulmanos estão neste momento reunidos na mesquita de Al-Aqsa, os judeus escolheram o Mihrab Dawud para concentrar seus soldados, e os cristãos, dispersos em muitos bairros, ficaram encarregados da defesa do setor sul da cidade.

Do lado de fora já podemos ver as torres de assalto, construídas com a madeira de navios que foram desmontados especialmente para isso. Pelo movimento das tropas inimigas, imaginamos que amanhã pela manhã eles irão atacar – derramando sangue em nome do papa, da "libertação" da cidade, dos "desejos divinos".

Esta tarde, no átrio onde há um milênio o governador romano Pôncio Pilatos entregou Jesus à multidão para que fosse crucificado, um grupo de homens e mulheres de todas as idades foi ao encontro do grego que aqui todos conhecemos por Copta.

O Copta é um tipo estranho. Resolveu deixar sua cidade natal de Atenas ainda adolescente, em busca de dinheiro e aventura. Terminou batendo às portas da nossa cidade quase morto de fome, foi bem-acolhido, pouco a pouco abandonou a ideia de continuar sua viagem e resolveu instalar-se aqui.

Conseguiu emprego em uma sapataria e – da mesma maneira que Ibn al-Athir – começou a registrar para o futuro tudo aquilo que via e escutava. Não procurou se filiar a nenhuma prática religiosa, e ninguém tentou convencê-lo do contrário. Para ele não estamos nem em 1099, nem em 4859, e muito menos no final do ano de 492. Tudo em que o Copta acredita é no momento presente e no que chama de Moira – o deus desconhecido, a Energia Divina, responsável por uma lei única que jamais pode ser transgredida ou o mundo desaparecerá.

Ao lado do Copta estavam os patriarcas das três religiões que se instalaram em Jerusalém. Nenhum governante apareceu enquanto durou a conversa – preocupados que estavam com os últimos preparativos para a resistência que acreditamos ser completamente inútil.

"Há muitos séculos, um homem foi julgado e condenado nesta praça", começou o grego. "Na rua que segue pela direita, enquanto caminhava em direção à morte, ele passou por um grupo de mulheres. Ao ver que choravam, disse: '*Não chorem por mim, chorem por Jerusalém.*' Profetizava o que está acontecendo agora. A partir de amanhã o que era harmonia se transformará em discórdia. O que era alegria será substituído pelo luto. O que era paz dará lugar a uma guerra que se estenderá por um futuro tão distante que não conseguimos sequer sonhar com seu fim."

Ninguém disse nada, porque nenhum de nós sabia exatamente o que estava fazendo ali. Seríamos obrigados a ouvir mais um sermão sobre os invasores que chamavam a si mesmos de "cruzados"?

O Copta saboreou um pouco a confusão que se instalou entre nós. E depois de um longo silêncio, resolveu explicar:

"Podem destruir a cidade, mas não podem acabar com tudo aquilo que ela nos ensinou. Por isso, é preciso que esse conhecimento não tenha o mesmo destino que nossas muralhas, casas e ruas.

"Mas o que é o conhecimento?"

Como ninguém respondeu, ele continuou:

"Não é a verdade absoluta sobre a vida e a morte, mas aquilo que nos ajuda a viver e enfrentar os desafios da vida diária. Não é a erudição dos livros, que serve apenas para alimentar discussões inúteis sobre o que aconteceu ou acontecerá, mas a sabedoria que reside no coração de homens e mulheres de boa vontade."

O Copta disse:

"Eu sou um erudito e, embora tenha passado todos esses anos recuperando antiguidades, classificando objetos, anotando datas e discutindo política, não sei exatamente o que dizer. Mas neste momento peço à Energia Divina que purifique meu coração. Vocês me farão as perguntas e eu as responderei. Na Grécia Antiga era assim que os mestres aprendiam: quando seus discípulos os questionavam sobre algo em que nunca haviam pensado antes, mas que eram obrigados a responder."

"E o que faremos com as respostas?", perguntou alguém.

"Alguns escreverão o que digo. Outros se lembrarão das palavras. Mas o importante é que hoje à noite vocês partam para os quatro cantos do mundo, espalhando o que ouviram. Assim, a alma de Jerusalém estará preservada. E um dia poderemos reconstruí-la não apenas como uma cidade, mas como o lugar para onde novamente a sabedoria haverá de convergir e onde a paz tornará a reinar."

"Todos nós sabemos o que nos espera amanhã", disse outro homem. "Não seria melhor discutirmos como negociar a paz ou nos prepararmos para o combate?"

O Copta olhou para os religiosos que estavam ao seu lado e, em seguida, voltou-se para a multidão.

"Ninguém sabe o que nos reserva o amanhã, porque a cada dia basta o seu mal ou o seu bem. Portanto, ao perguntarem o que desejam saber, esqueçam as tropas do lado de fora e o medo do lado de dentro. Nosso legado não será dizer àqueles que herdarão a terra o que aconteceu na data de hoje; isso a história se encarregará de fazer. Falaremos, portanto, de nossa vida cotidiana, das dificuldades que fomos obrigados a enfrentar. Só isso interessa ao futuro, porque não creio que muita coisa mudará nos próximos mil anos."

Então meu vizinho Yakob pediu:

"Fale-nos sobre a derrota."

Pode uma folha, quando cai da árvore no inverno, sentir-se derrotada pelo frio?

A árvore diz para a folha: "Este é o ciclo da vida. Embora você pense que irá morrer, na verdade ainda continua em mim. Graças a você estou viva, porque pude respirar. Também graças a você senti-me amada, porque pude dar sombra ao viajante cansado. Sua seiva está na minha seiva, somos uma coisa só."

Pode um homem que se preparou durante anos para subir a montanha mais alta do mundo sentir-se derrotado quando chega diante do monte e descobre que a natureza o cobriu com uma tempestade? O homem diz para a montanha: "Você não me quer agora, mas o tempo vai mudar e um dia poderei subir até seu topo. Enquanto isso, você continua aí me esperando."

Pode um jovem, quando é rejeitado por seu primeiro amor, afirmar que o amor não existe? O jovem diz para si mesmo: "Encontrarei alguém capaz de entender o que sinto. E serei feliz pelo resto de meus dias."

Não existe nem vitória nem derrota no ciclo da natureza: existe movimento.

O inverno luta para reinar soberano, mas no final é obrigado a aceitar a vitória da primavera, que traz consigo flores e alegria.

O verão quer estender seus dias quentes para sempre, pois está convencido de que o calor traz benefício à terra. Mas termina aceitando a chegada do outono, que permitirá que a terra descanse.

A gazela come as ervas e é devorada pelo leão. Não se trata de quem é o mais forte, mas de como Deus nos mostra o ciclo da morte e da ressurreição.

E neste ciclo não há vencedores nem perdedores: apenas etapas que devem ser cumpridas. Quando o coração do ser humano compreende isso, fica livre. Aceita sem pesar os momentos difíceis e não se deixa enganar pelos momentos de glória.

Ambos vão passar. Um irá suceder o outro. E o ciclo continuará até nos libertarmos da carne e nos encontrarmos com a Energia Divina.

Portanto, quando o lutador estiver na arena – seja por escolha própria, seja porque o insondável destino o colocou ali –, que seu espírito tenha alegria no combate que está prestes a travar. Se mantiver a dignidade e a honra, ele pode perder a batalha, mas jamais será derrotado, porque sua alma estará intacta.

E não culpará ninguém pelo que está acontecendo com ele. Desde que amou pela primeira vez e foi rejeitado, entendeu que isso não matou sua capacidade de amar. O que vale para o amor vale também para a guerra.

Perder uma batalha, ou perder tudo o que pensamos possuir, nos traz momentos de tristeza. Mas, quando eles passam, descobrimos a força desconhecida que existe em cada um de nós, a força que nos surpreende e aumenta o respeito por nós mesmos.

Olhamos ao redor e dizemos a nós mesmos: "Eu sobrevivi." E nos alegramos com nossas palavras.

Apenas os que não reconhecem essa força dizem: "Eu perdi." E se entristecem.

Outros, mesmo sofrendo com a perda e humilhados com as histórias que os vencedores espalham a seu respeito, permitem-se derramar algumas lágrimas, mas nunca sentem pena de si mesmos. Sabem apenas que o combate foi interrompido e que no momento estão em desvantagem.

Escutam as batidas de seu coração. Reparam que estão tensos. Que têm medo. Fazem um balanço de sua vida e descobrem que, apesar do terror que sentem, a fé continua incendiando sua alma e os empurrando para a frente.

Procuram saber onde erraram e onde acertaram. Aproveitam o momento em que estão caídos para descansar, curar as feridas, descobrir novas estratégias e equiparem-se melhor.

E chega um dia em que um novo combate bate à sua

porta. O medo continua, mas eles precisam agir – ou permanecerão para sempre deitados no chão. Levantam-se e encaram o adversário, lembrando-se do sofrimento que viveram e que não querem viver mais.

A derrota anterior os obriga a vencer desta vez, já que não querem passar novamente pelas mesmas dores.

E se a vitória não for desta vez, será na próxima. E se não for na próxima, será mais adiante. O pior não é cair, é ficar preso ao chão.

Só é derrotado quem desiste. Todos os outros são vitoriosos.

E chegará o dia em que os momentos difíceis serão apenas histórias que contarão, orgulhosos, para aqueles que quiserem escutar. E todos os ouvirão com respeito e aprenderão três coisas importantes:

A ter paciência para esperar o momento certo de agir.

Sabedoria para não deixar a próxima oportunidade escapar.

E orgulho de suas cicatrizes.

As cicatrizes são medalhas gravadas com ferro e com fogo na carne e deixarão seus inimigos assustados, ao demonstrar que a pessoa diante deles tem muita experiência de combate. Muitas vezes isso os levará a buscar o diálogo e evitará o conflito.

As cicatrizes falam mais alto do que a lâmina da espada que as causou.

"*Descreva os derrotados*", pediu um mercador, quando notou que o Copta havia acabado de falar.

E ele respondeu:

Os derrotados são aqueles que não fracassam.

A derrota nos faz perder uma batalha ou uma guerra. O fracasso não nos deixa lutar.

A derrota vem quando não conseguimos algo que queremos muito. O fracasso não nos permite sonhar. Seu lema é: "Não deseje nada e nunca sofrerá."

A derrota tem um final quando nos empenhamos em um novo combate. O fracasso não tem um final: é uma escolha de vida.

A derrota é para aqueles que, embora com medo, vivem com entusiasmo e fé.

A derrota é para os valentes. Só eles podem ter a honra de perder e a alegria de ganhar.

Não estou aqui para dizer que a derrota faz parte da vida; isso todos nós sabemos. Só os derrotados conhecem o Amor. Porque é no reino do amor que travamos nossos primeiros combates – e geralmente perdemos.

Estou aqui para dizer que existem pessoas que nunca foram derrotadas.

São aquelas que nunca lutaram.

Conseguiram evitar as cicatrizes, as humilhações, o sentimento de desamparo e aqueles momentos em que os guerreiros duvidam da existência de Deus.

Essas pessoas podem dizer com orgulho: "Nunca perdi uma batalha." Entretanto, jamais poderão dizer: "Ganhei uma batalha."

Mas isso não lhes interessa. Vivem num universo onde acreditam que nunca serão atingidas, fecham os olhos às injustiças e ao sofrimento, sentem-se seguras porque não precisam lidar com os desafios diários daqueles que arriscam ir além dos próprios limites.

Nunca escutaram um "Adeus". Tampouco um "Eis-me de volta. Abrace-me com o sabor de quem me tinha perdido e voltou a me encontrar".

Os que nunca foram derrotados parecem alegres e superiores, donos de uma verdade pela qual nunca moveram uma palha sequer. Estão sempre ao lado do mais forte. São como hienas, que comem apenas os restos do leão.

Ensinam a seus filhos: "Não se envolvam em conflitos, vocês só têm a perder. Guardem suas dúvidas para si mesmos e jamais terão problemas. Se alguém os agredir, não se sintam ofendidos nem se rebaixem procurando revidar o ataque. Há outras coisas com que nos preocuparmos na vida."

No silêncio da noite, enfrentam suas batalhas imaginárias: os sonhos não realizados, as injustiças que fingiram não perceber, os momentos de covardia que conseguiram disfarçar para todos – menos para si mesmos – e o amor que cruzou seu caminho com um brilho nos olhos, aquele que lhes estava destinado pelas mãos de Deus e que, no entanto, não tiveram coragem de abordar.

E prometem: "Amanhã será diferente."

Mas o amanhã chega e vem a pergunta que os paralisa: "E se tudo der errado?"

Então não fazem nada.

Ai dos que nunca foram vencidos! Tampouco serão vencedores nesta vida.

"Conte-nos sobre a solidão", pediu uma jovem que estava prestes a se casar com o filho de um dos homens mais ricos da cidade e que agora era obrigada a fugir.

E ele respondeu:

Sem a solidão, o Amor não permanecerá muito tempo ao seu lado.

Porque também o Amor precisa de repouso, de modo que possa viajar pelos céus e manifestar-se de outras formas.

Sem a solidão, nenhuma planta ou animal sobrevive, nenhuma terra é produtiva por muito tempo, nenhuma criança pode aprender sobre a vida, nenhum artista consegue criar, nenhum trabalho pode crescer e se transformar.

A solidão não é a ausência do Amor, mas o seu complemento.

A solidão não é a ausência de companhia, mas o momento em que nossa alma tem a liberdade de conversar conosco e nos ajudar a decidir sobre nossas vidas.

Portanto, abençoados sejam aqueles que não temem a solidão. Que não se assustam com a própria companhia, que não ficam desesperados em busca de algo com que se ocupar, se divertir ou para julgar.

Porque quem nunca está só já não conhece mais a si mesmo.

E quem não conhece a si mesmo passa a temer o vazio.

Mas o vazio não existe. Um mundo gigantesco se esconde em nossa alma, esperando para ser descoberto. Está ali, com sua força intacta, mas é tão novo e tão poderoso que temos medo de aceitar sua existência.

Porque o fato de descobrir quem somos nos obrigará a aceitar que podemos ir muito além do que estamos acostumados. E isso nos assusta. Melhor não arriscar tanto, já que podemos sempre dizer: "Não fiz o que precisava porque não me deixaram."

É mais confortável. É mais seguro. E, ao mesmo tempo, é renunciar à própria vida.

Ai daqueles que preferem passar a vida dizendo "Eu não tive oportunidade"!

Porque a cada dia afundarão ainda mais no poço dos próprios limites, e chegará o momento em que não terão mais forças para escapar dele e encontrar de novo a luz que brilha pela abertura acima de suas cabeças.

E abençoados os que dizem: "Eu não tenho coragem."

Porque esses entendem que a culpa não é dos outros. E cedo ou tarde encontrarão a fé necessária para enfrentar a solidão e seus mistérios.

*

E, para aqueles que não se deixam assustar pela solidão que revela os mistérios, tudo terá um sabor diferente.

Na solidão, eles descobrirão o amor que poderia chegar despercebido. Na solidão, entenderão e respeitarão o amor que partiu.

Na solidão, eles saberão decidir se vale a pena pedir para que retorne, ou se deverão permitir que ambos sigam um novo caminho.

Na solidão, aprenderão que dizer "não" nem sempre é falta de generosidade, e que dizer "sim" nem sempre é uma virtude.

E, aqueles que estão sós neste momento, jamais se deixem assustar pelas palavras do demônio, que diz: "Você está perdendo tempo."

Ou pelas palavras, ainda mais poderosas, do chefe dos demônios: "Você não importa para ninguém."

A Energia Divina nos escuta quando falamos com os outros, mas também nos escuta quando estamos quietos, em silêncio, aceitando a solidão como uma bênção.

E nesse momento a Sua luz ilumina tudo o que está ao nosso redor e nos faz ver quanto somos necessários, quanto a nossa presença na Terra faz uma imensa diferença para o Seu trabalho.

E, quando conseguimos essa harmonia, recebemos mais do que pedimos.

*

E, àqueles que se sentem oprimidos pela solidão, é preciso lembrar: nos momentos mais importantes da vida sempre estaremos sozinhos.

Como a criança ao sair do ventre da mulher: não importa quantas pessoas estejam à sua volta, cabe a ela a decisão final de viver.

Como o artista diante de sua obra: para que seu trabalho seja realmente bom, ele precisa estar quieto e escutar apenas a língua dos anjos.

Como nos encontraremos um dia diante da morte, a Indesejada das Gentes: estaremos sozinhos no mais importante e temido momento de nossa existência.

Assim como o Amor é a condição divina, a solidão é a condição humana. E ambos convivem sem conflitos para aqueles que entendem o milagre da vida.

E um rapaz que tinha sido escolhido
para partir rasgou suas vestes e disse:

"Minha cidade julga que não sirvo para
o combate. Sou inútil."

E ele respondeu:

Algumas pessoas dizem: "Não consigo despertar o amor dos outros." Mas no amor não correspondido existe sempre a esperança de que algum dia ele seja aceito.

Outros escrevem em seus diários: "Meu gênio não é reconhecido, meu talento não é apreciado, meus sonhos não são respeitados." Mas também para esses existe a esperança de que as coisas mudem depois de muitas lutas.

Outros passam o dia batendo em portas, explicando: "Estou desempregado." Eles sabem que, se tiverem paciência, um dia uma das portas se abrirá.

*

Mas existem aqueles que acordam todas as manhãs com o coração oprimido. Não estão em busca de amor, de reconhecimento, de trabalho.

Dizem para si mesmos: "Sou inútil. Vivo porque preciso sobreviver, mas ninguém, absolutamente ninguém, está muito interessado no que estou fazendo."

O sol brilha lá fora, a família está à sua volta, procuram manter a máscara de alegria porque aos olhos dos outros têm tudo o que sonharam. Mas estão convencidos de que todos ali podem passar sem eles. Ou porque são jovens demais e notam que os mais velhos têm outras preocupações, ou porque são velhos demais e julgam que os mais jovens não se importam com o que têm a dizer.

O poeta escreve algumas linhas e as atira no lixo, pensando: "Isto não interessa a ninguém."

O empregado chega ao trabalho e tudo o que faz é repetir a tarefa do dia anterior. Acredita que um dia, se for despedido, ninguém notará a sua falta.

A moça costura seu vestido colocando um enorme esforço em cada detalhe e, quando chega à festa, entende o que os olhares estão dizendo: não está mais bonita nem mais feia, aquele é mais um entre milhões de vestidos em todos os lugares do mundo onde nesse exato momento estão acontecendo festas semelhantes – algumas em grandes castelos, outras em pequenas aldeias onde todos se conhecem e têm algo a comentar sobre o vestido dos outros.

Menos sobre o seu, que passou despercebido. Não era bonito nem feio, era apenas mais um vestido.

Inútil.

Os mais jovens se dão conta de que o mundo está cheio de problemas gigantescos, que sonham resolver, mas ninguém se interessa pela opinião deles. "Vocês ainda não sabem a realidade do mundo", escutam. "Ouçam os mais velhos e saberão melhor o que fazer."

Os mais velhos ganharam experiência e maturidade, aprenderam duramente com as adversidades da vida, mas, quando chega a hora de ensinar, ninguém está interessado. "O mundo mudou", escutam. "É preciso acompanhar o progresso e escutar os mais jovens."

Sem respeitar idade e sem pedir permissão, o sentimento de inutilidade corrói a alma, repetindo sempre: "Ninguém se interessa por você, você não é nada, o planeta não necessita da sua presença."

Na desesperada intenção de dar sentido à vida, muitos começam a buscar a religião, porque uma luta em nome da fé sempre parece justificar algo grande, que pode transformar o mundo. "Estamos trabalhando para Deus", dizem a si mesmos.

E se transformam em devotos. Em seguida se transformam em evangelistas. E por fim se transformam em fanáticos.

Não entendem que a religião foi feita para compartilhar os mistérios e a adoração – jamais para oprimir e converter os outros. A maior manifestação do milagre de Deus é a vida.

Esta noite chorarei por ti, ó Jerusalém, porque esta compreensão da Unidade Divina irá desaparecer pelos próximos mil anos.

Perguntem a uma flor-do-campo: "Você se sente inútil, já que tudo o que faz é reproduzir outras flores semelhantes?"

E ela responderá: "Eu sou bela, e a beleza em si é a minha razão de viver."

Perguntem a um rio: "Você se sente inútil, já que tudo o que faz é correr sempre na mesma direção?"

E ele responderá: "Eu não estou tentando ser útil; estou tentando ser um rio."

Nada neste mundo é inútil diante dos olhos de Deus. Nem uma folha que cai da árvore, nem um fio de cabelo que cai da cabeça, nem um inseto que é morto porque estava incomodando. Tudo tem uma razão de ser.

Inclusive você, que acaba de se fazer essa pergunta. "Eu sou inútil" é uma resposta que você está dando a si mesmo.

Em breve estará envenenado por ela e morrerá ainda em vida – embora continue andando, comendo, dormindo e tentando se divertir quando possível.

Não tente ser útil. Tente ser você: isso basta, e faz toda a diferença.

Não ande nem mais rápido, nem mais devagar que sua alma. Porque é ela que lhe ensinará qual a sua utilidade a cada passo. Às vezes é participar de um grande combate que ajudará a mudar o caminho da história.

Mas às vezes é simplesmente sorrir sem motivo para uma pessoa com quem cruzou por acaso na rua.

Sem que tivesse a menor intenção, pode ter salvado a vida de um desconhecido que também se julgava inútil e que podia estar prestes a se matar, até que um sorriso lhe deu esperança e confiança.

*

Mesmo que olhe para a sua vida com todo o cuidado e reveja cada um dos momentos em que sofreu, suou e sorriu debaixo do sol, você jamais poderá saber exatamente quando foi útil aos outros.

Uma vida nunca é inútil. Cada alma que desceu à Terra tem uma razão para estar aqui.

As pessoas que realmente fazem bem aos outros não estão buscando ser úteis, mas levar uma vida interessante. Quase nunca dão conselhos, mas servem de exemplo.

Procure apenas isto: viver aquilo que sempre desejou viver. Evite criticar os outros e concentre-se no que sempre sonhou. Talvez você não veja muita importância nisso.

Mas Deus, que tudo vê, sabe que o exemplo que você dá O está ajudando a melhorar o mundo. E a cada dia, o cobrirá de mais bênçãos.

*

E quando a Indesejada das Gentes chegar, você vai escutá-la dizer:

"É justo perguntar:'Meu Pai, meu Pai, por que me abandonaste?'

"Mas agora, neste último segundo de sua vida na Terra, eu vou lhe dizer o que vi: encontrei a casa limpa, a mesa posta, o campo arado, as flores sorrindo. Encontrei cada coisa em seu lugar, como devia ser. Você entendeu que as pequenas coisas são responsáveis pelas grandes mudanças.

"E por causa disso vou levá-lo ao Paraíso."

E uma mulher chamada Almira,
que era costureira, disse:

"Eu podia ter partido antes da
chegada dos cruzados e hoje estaria
trabalhando no Egito. Mas sempre
tive medo de mudar."

E ele respondeu:

Temos medo de mudar porque julgamos que, depois de muito esforço e sacrifício, conhecemos nosso mundo.

E mesmo que ele não seja o melhor, mesmo que não estejamos inteiramente satisfeitos, pelo menos não teremos surpresas. Não erraremos.

Quando necessário, faremos pequenas mudanças para que tudo continue igual.

Vemos que as montanhas permanecem no mesmo lugar. Vemos que as árvores já crescidas, quando transplantadas, terminam morrendo.

E dizemos: "Quero ser como as montanhas e as árvores. Sólidas e respeitadas."

Mesmo que, durante a noite, acordemos pensando: "Eu gostaria de ser como os pássaros, que podem visitar Damasco e Badgá e voltar sempre que desejarem."

Ou então: "Quem me dera ser como o vento, que ninguém sabe de onde vem nem para onde vai e que muda de direção sem precisar explicar isso a ninguém."

Mas no dia seguinte lembramos que os pássaros estão sempre fugindo dos caçadores e das aves mais fortes.

E que o vento às vezes fica preso em um rodamoinho e tudo o que faz é destruir o que está ao seu redor.

É muito bom sonhar que há sempre espaço para ir mais longe e que faremos isso algum dia. O sonho nos alegra — porque sabemos que somos mais capazes do que aquilo que fazemos.

Sonhar não implica riscos. Perigoso é querer transformar os sonhos em realidade.

Mas chega o dia em que o destino bate à nossa porta. Pode ser a batida suave do Anjo da Sorte, ou a batida inconfundível da Indesejada das Gentes. Ambos dizem: "Mude agora." Não na próxima semana, nem no próximo mês, nem no próximo ano. Os anjos dizem: "Agora."

Sempre escutamos a Indesejada das Gentes. E mudamos tudo por causa do medo de que ela nos leve: trocamos de aldeia, de hábitos, de calçada, de comida, de comportamento. Não podemos convencer a Indesejada das Gentes a nos permitir continuar sendo como antes. Não há diálogo.

Também escutamos o Anjo da Sorte, mas para esse perguntamos: "Aonde quer me levar?"

"Para uma nova vida", é a resposta.

E lembramos: temos nossos problemas, mas podemos solucioná-los — mesmo que passemos cada vez mais tempo lidando com eles. Precisamos servir de exemplo aos nossos pais, aos nossos mestres, aos nossos filhos, e manter o caminho correto.

Os nossos vizinhos esperam que sejamos capazes de ensinar a todos a virtude da perseverança, da luta contra as adversidades e da superação dos obstáculos.

E ficamos orgulhosos com nosso comportamento. E somos elogiados porque não aceitamos mudar – mas continuar no rumo que o destino escolheu para nós.

*

Nada mais errado.

Porque o caminho correto é o caminho da natureza: em constante mutação, como as dunas do deserto.

Estão enganados aqueles que pensam que as montanhas não mudam: elas nasceram de terremotos, são trabalhadas pelo vento e pela chuva, e a cada dia ficam diferentes – embora nossos olhos não consigam ver tudo isso.

As montanhas mudam e se alegram: "Que bom que não somos as mesmas", dizem umas às outras.

Estão enganados aqueles que pensam que as árvores não mudam. Elas precisam aceitar a nudez do inverno e a vestimenta do verão. E vão além do terreno onde estão plantadas – porque os pássaros e o vento espalham suas sementes.

As árvores se alegram: "Eu achava que era uma e hoje descubro que sou muitas", dizem a seus filhos que começam a brotar ao redor.

*

A natureza nos diz: mude.

E os que não temem o Anjo da Sorte entendem que é preciso seguir adiante, apesar do medo. Apesar das dúvidas. Apesar das recriminações. Apesar das ameaças.

Enfrentam-se com seus valores e preconceitos. Escutam os conselhos daqueles que os amam: "Não faça isso, você já tem tudo o que precisa: o amor de seus pais, o carinho de sua esposa e de seus filhos, o emprego que custou tanto a conseguir. Não corra o risco de ser um estrangeiro em uma terra estranha."

Mas arriscam o primeiro passo – às vezes por curiosidade, outras vezes por ambição, mas geralmente pelo desejo incontrolável de aventura.

A cada curva do caminho sentem-se mais amedrontados. Entretanto, surpreendem-se com eles mesmos: estão mais fortes e mais alegres.

Alegria. Essa é uma das principais bênçãos do Todo-Poderoso. Se estamos alegres, estamos no caminho certo.

O medo se afasta aos poucos, porque não lhe foi dada a importância que desejava ter.

Uma pergunta persiste nos primeiros passos do caminho: "Será que minha decisão de mudar fez com que outros sofressem por mim?"

Mas quem ama quer ver o bem-amado feliz. Se em um primeiro momento temeu por ele, esse sentimento é logo substituído pelo orgulho de vê-lo fazendo o que gosta, indo aonde sonhou chegar.

Mais adiante, aparece o sentimento de desamparo.

Mas os viajantes encontram na estrada gente que está sentindo a mesma coisa. À medida que conversam entre si, descobrem que não estão sós: tornam-se companheiros de viagem, dividem a solução que encontraram para cada obstáculo. E todos se descobrem mais sábios e mais vivos do que imaginavam.

Nos momentos em que o sofrimento ou o arrependimento se instalam em suas tendas e eles não conseguem dormir direito, dizem para si mesmos: "Amanhã, e apenas amanhã, darei mais um passo. Posso sempre voltar, porque conheço o caminho. Portanto, mais um passo não fará muita diferença."

*

Até que um dia, sem qualquer aviso, o caminho deixa de testar o viajante e passa a ser generoso com ele. Seu espírito, até então perturbado, alegra-se com a beleza e os desafios da nova paisagem.

E cada passo, que antes era automático, passa a ser um passo consciente.

Em vez de mostrar o conforto da segurança, ensina a alegria dos desafios.

O viajante continua sua jornada. Em vez de reclamar do tédio, passa a reclamar do cansaço. Mas nesse momento para, descansa, desfruta a paisagem e segue adiante.

Em vez de passar a vida inteira destruindo os caminhos que temia seguir, passa a amar aquele que está percorrendo.

Mesmo que o destino final seja um mistério. Mesmo que em determinado momento tome uma decisão errada. Deus, que está vendo sua coragem, dará a inspiração necessária para corrigi-la.

O que ainda o perturba não são os fatos, mas o temor de não saber se comportar diante deles. Uma vez que decidiu seguir seu caminho e já não tem mais opção, descobre uma vontade impecável, e os fatos se curvam às suas decisões.

"Dificuldade" é o nome de uma antiga ferramenta, criada apenas para nos ajudar a definir quem somos.

As tradições religiosas ensinam que a fé e a transformação são a única maneira de nos aproximarmos de Deus.

A fé nos mostra que em nenhum momento estamos sozinhos.

A transformação nos faz amar o mistério.

E quando tudo parecer escuro e quando nos sentirmos desamparados, não olharemos para trás, com temor de ver as transformações que ocorreram em nossa alma. Olharemos adiante.

Não temeremos o que acontecerá amanhã, porque ontem tivemos quem cuidasse de nós.

E essa mesma Presença continuará ao nosso lado.

Essa Presença nos abrigará do sofrimento.

Ou nos dará força para enfrentá-lo com dignidade.

Iremos mais longe do que pensamos. Buscaremos o lugar onde nasce a estrela da manhã. E ficaremos surpresos ao ver que chegar até ela foi mais fácil do que imaginamos.

*

A Indesejada das Gentes chega para os que não mudam e para os que mudam. Mas estes pelo menos podem dizer: "Minha vida foi interessante, não desperdicei minha bênção."

E para os que acham que a aventura é perigosa, que tentem a rotina: ela mata antes da hora.

E alguém pediu:

"No momento em que tudo parece terrível, precisamos animar nosso espírito. Portanto, conte-nos sobre a beleza."

E ele respondeu:

Sempre escutamos dizer: "O que importa não é a beleza exterior, mas a beleza interior."

Pois não há nada mais falso do que essa frase.

Se assim fosse, por que as flores fariam tanto esforço para chamar a atenção das abelhas?

E por que as gotas de chuva se transformariam em um arco-íris quando encontram o sol?

Porque a natureza anseia pela beleza. E só fica satisfeita quando ela pode ser exaltada.

A beleza exterior é a parte visível da beleza interior. E ela se manifesta pela luz que sai dos olhos de cada um. Não importa se a pessoa está malvestida, se não obedece aos padrões do que consideramos elegante ou se não está sequer preocupada em impressionar quem está perto. Os olhos são o espelho da alma e refletem tudo o que parece estar oculto.

Mas, além da capacidade de brilhar, os olhos têm outra qualidade: funcionam como espelho.

E refletem quem os está admirando. Assim, se a alma daquele que observa estiver escura, ele verá sempre sua própria feiura. Porque, como todo espelho, os olhos devolvem a cada um de nós o reflexo de nosso próprio rosto.

*

A beleza está presente em tudo o que foi criado. Mas o perigo reside no fato de que, como seres humanos muitas vezes afastados da Energia Divina, nos deixamos levar pelo julgamento alheio.

Negamos nossa própria beleza porque os outros não podem, ou não querem, reconhecê-la. Em vez de aceitar quem somos, procuramos imitar o que vemos ao nosso redor.

Buscamos ser como aqueles que todos dizem: "Que bonito!" Aos poucos nossa alma vai definhando, nossa vontade diminui, e todo o potencial que tínhamos para enfeitar o mundo deixa de existir.

Esquecemos que o mundo é aquilo que imaginamos ser.

Deixamos de ter o brilho da lua e passamos a ser a poça d'água que a reflete. No dia seguinte, o sol vai evaporar essa água, e nada restará.

Tudo porque algum dia alguém disse: "Você é feio." Ou outro comentou: "Ela é bonita." Com apenas três palavras, foram capazes de roubar toda a confiança que tínhamos em nós mesmos.

E isso nos torna feios. E isso nos deixa amargos.

*

Nesse momento, encontramos conforto naquilo que chamam de "sabedoria": um acumulado de ideias empacotadas por gente que procura definir o mundo, em vez de respeitar o mistério da vida. Ali estão as regras, os regulamentos, as medidas, e toda uma bagagem absolutamente desnecessária que procura estabelecer um padrão de comportamento.

A falsa sabedoria parece dizer: não se preocupe com a beleza, porque ela é superficial e efêmera.

*

Não é verdade. Todos os seres criados debaixo do sol, dos pássaros às montanhas, das flores aos rios, refletem a maravilha da criação.

Se resistirmos à tentação de aceitar que outros podem definir quem somos, então pouco a pouco seremos capazes de fazer luzir o sol que reside em nossa alma.

O Amor passa por perto e diz: "Nunca havia notado sua presença."

E nossa alma responde: "Preste mais atenção porque estou aqui. Foi preciso que uma brisa tirasse a poeira de seus olhos, mas, agora que me reconheceu, não torne a me abandonar, já que todos cobiçam a beleza."

O belo não reside na igualdade, mas na diferença. Não podemos imaginar uma girafa sem um longo pescoço ou um cacto sem espinhos. A irregularidade dos picos das montanhas que nos cercam é o que as faz imponentes. Se a mão do homem tentasse dar a mesma forma a todas, já não inspirariam mais respeito.

Aquilo que parece imperfeito é justamente o que nos assombra e nos atrai.

Quando olhamos um cedro, não pensamos: os galhos deveriam ter todos a mesma medida. Pensamos: "Ele é forte."

Quando vemos uma serpente, jamais dizemos: "Ela está rastejando no chão, enquanto eu caminho de cabeça erguida." Pensamos: "Embora seja pequena, sua pele é colorida, seu movimento elegante, e ela tem mais poder que eu."

Quando o camelo cruza o deserto e nos leva até o lugar aonde queremos chegar, nunca dizemos: "Ele tem corcovas e seus dentes são feios." Pensamos: "Ele é digno do meu amor por sua lealdade e sua ajuda. Sem ele, eu jamais poderia conhecer o mundo."

Um pôr do sol é sempre mais belo quando o céu está coberto de nuvens irregulares, porque só assim ele pode refletir as muitas cores das quais são feitos os sonhos e os versos do poeta.

Pobres daqueles que pensam: "Eu não sou belo, porque o Amor não bateu à minha porta." Na verdade, o Amor bateu – mas essas pessoas não abriram porque não estavam preparadas para recebê-lo.

Tentavam se enfeitar, quando na verdade já estavam prontas.

Tentavam imitar os outros, quando o Amor buscava algo original.

Procuravam refletir o que vinha de fora e esqueceram a Luz mais forte que vinha de dentro.

E disse um rapaz que devia partir
aquela noite:

"Nunca soube em que direção seguir."

E ele respondeu:

Assim como o sol, a vida espalha sua luz em todas as direções.

E, quando nascemos, queremos tudo ao mesmo tempo, sem controlar a energia que nos é dada.

Mas, se precisamos de fogo, é necessário fazer com que os raios do sol venham todos para o mesmo lugar.

E o grande segredo que a Energia Divina revelou ao mundo foi o fogo. Não apenas aquele capaz de aquecer, mas o que transforma o trigo em pão.

E chega o momento em que precisamos concentrar esse fogo interno para que nossa vida tenha um sentido.

Então indagamos aos céus: "Mas que sentido é esse?"

Alguns afastam logo essa pergunta: ela incomoda, tira o sono, e não existe uma resposta ao alcance da mão. Esses são os que mais tarde passarão a viver o dia de amanhã como o dia de ontem.

E, quando a Indesejada das Gentes chegar, dirão: "Minha vida foi curta, desperdicei minha bênção."

*

Outros aceitam a pergunta. Mas, como não sabem respondê-la, começam a ler o que escreveram aqueles que enfrentaram o desafio. E de repente encontram uma resposta que julgam ser correta.

Quando isso acontece, se transformam em escravos dessa resposta. Criam leis que obriguem todos a aceitar o que acreditam ser a razão da existência. Constroem templos para justificá-la e tribunais para os que discordam do que consideram ser a verdade absoluta.

Finalmente existem aqueles que compreendem que a pergunta é uma armadilha: ela não tem resposta.

Em vez de perder tempo na armadilha, resolvem agir. Voltam à infância, procuram ali o que lhes dava mais entusiasmo e – apesar do conselho dos mais velhos – dedicam sua vida a isso.

Porque no Entusiasmo está o Fogo Sagrado.

Pouco a pouco, descobrem que seus gestos estão ligados a uma intenção misteriosa, além do conhecimento humano. E abaixam a cabeça em sinal de respeito ao mistério e oram para que não se desviem de um caminho que não conhecem, mas que percorrem por causa da chama que incendeia seus corações.

Usam a intuição quando é fácil conectar-se com ela e usam a disciplina quando a intuição não se manifesta.

Parecem loucos. Às vezes, comportam-se como loucos. Mas não estão loucos. Descobriram o verdadeiro Amor e o poder da Vontade.

E só o Amor e a Vontade revelam o objetivo e o rumo que devem seguir.

A Vontade é cristalina, o Amor é puro e os passos são firmes. Nos momentos de dúvida, nos momentos de tristeza, nunca esquecem: "Sou um instrumento. Permita-me ser um instrumento capaz de manifestar Sua Vontade."

O caminho é escolhido, e talvez só entendam o objetivo quando estiverem diante da Indesejada das Gentes. Nisso reside a beleza daquele que segue adiante tendo como único guia o Entusiasmo e respeitando o mistério da vida: o seu caminho é belo e o seu fardo é suave.

O objetivo pode ser grande ou pequeno, estar muito longe ou ao lado de casa, mas ele vai à sua procura com respeito e honra. Sabe o que cada passo significa e quanto custou do seu esforço, do seu treinamento, da sua intuição.

Concentra-se não apenas na meta a ser alcançada, mas em tudo o que acontece ao seu redor. Muitas vezes é obrigado a parar porque já não tem mais forças.

Nesse momento, o Amor aparece e diz: "Você pensa que está caminhando em direção a um ponto, mas esse ponto só tem sua existência justificada porque você o ama. Descanse um pouco, mas assim que puder levante-se e siga adiante. Porque desde que ele soube que você vinha até ele, também está correndo para encontrá-lo."

*

Quem esquece a pergunta, quem a responde ou quem entende que a ação é a única maneira de enfrentá-la vai encontrar os mesmos obstáculos e alegrar-se com as mesmas coisas.

Mas apenas aquele que aceita com humildade e coragem o impenetrável plano de Deus sabe que está no caminho correto.

E uma mulher que já havia entrado
em anos e nunca encontrara um homem
para casar-se comentou:

"O Amor jamais quis conversar
comigo."

E ele respondeu:

Para escutarmos as palavras do Amor, é preciso deixar que ele se aproxime.

Mas, quando ele chega perto, tememos o que tem a nos dizer. Porque o Amor é livre e sua voz não é governada por nossa vontade ou pelo nosso esforço.

Todos os amantes sabem disso, mas não se conformam. Acham que podem seduzi-lo com submissão, poder, beleza, riqueza, lágrimas e sorrisos.

Mas o verdadeiro Amor é aquele que seduz e jamais se deixa seduzir.

O amor transforma, o amor cura. Mas, às vezes, constrói armadilhas mortais e termina destruindo a pessoa que resolveu entregar-se por completo. Como a força que move o mundo e mantém as estrelas em seu lugar pode ser tão construtiva e tão devastadora ao mesmo tempo?

Nós nos acostumamos a pensar que aquilo que damos é igual ao que recebemos. Mas as pessoas que amam esperando ser amadas de volta perdem seu tempo.

O amor é um ato de fé, e não uma troca.

São as contradições que fazem o amor crescer. São os conflitos que permitem que o amor continue ao nosso lado.

A vida é curta demais para escondermos em nosso coração palavras importantes.

Como, por exemplo, "Eu te amo".

Mas não espere sempre escutar a mesma frase em troca. Amamos porque precisamos amar. Sem isso, a vida perde todo o sentido e o sol deixa de brilhar.

Uma rosa sonha com a companhia das abelhas, mas nenhuma aparece. O sol pergunta:

"Você não está cansada de esperar?"

"Sim", responde a rosa. "Mas se eu fechar minhas pétalas, murcho."

Portanto, mesmo quando o Amor não aparece, continuamos abertos para a sua presença. Nos momentos em que a solidão parece esmagar tudo, a única maneira de resistir é continuar amando.

*

O maior objetivo da vida é amar. O resto é silêncio.

Precisamos amar. Mesmo que isso nos leve à terra onde os lagos são feitos de lágrimas. Oh, lugar secreto e misterioso, a terra das lágrimas!

As lágrimas falam por si mesmas. E quando achamos que já choramos tudo o que precisávamos chorar, elas ainda continuam jorrando. E quando acreditamos que nossa vida será apenas um longo caminhar no Vale da Dor, as lágrimas de repente desaparecem.

Porque conseguimos manter o coração aberto, apesar do sofrimento.

Porque descobrimos que quem partiu não carregou consigo o sol nem deixou em seu lugar as trevas. Apenas partiu – e cada adeus traz escondida a esperança.

É melhor ter amado e perdido do que jamais ter amado.

*

Nossa única e verdadeira escolha é mergulhar no mistério desta força incontrolável. Embora possamos dizer "Já sofri muito e sei que isso não vai durar" e afastar o Amor da soleira de nossa porta, se fizermos isso, estaremos mortos para a vida.

Porque a natureza é a manifestação do Amor de Deus. Apesar de tudo o que fazemos, ela ainda continua nos amando. Portanto, respeitemos e entendamos o que a natureza nos ensina.

Amamos porque o Amor nos liberta. E passamos a dizer as palavras que não tínhamos coragem de sussurrar nem para nós mesmos.

Tomamos a decisão que estávamos deixando para depois.

Aprendemos a dizer "não", sem considerar essa palavra como algo amaldiçoado.

Aprendemos a dizer "sim", sem temer as consequências.

Esquecemos tudo o que nos ensinaram a respeito do amor, porque cada encontro é diferente e traz em si suas próprias agonias e êxtases.

Cantamos mais alto quando a pessoa amada está longe e sussurramos poemas quando ela está perto. Mesmo que ela não escute ou não dê importância aos nossos gritos e sussurros.

Não fechamos nossos olhos para o Universo e reclamamos: "Está escuro." Mantemos os olhos bem abertos, sabendo que sua luz pode nos levar a fazer coisas impensadas. Isso faz parte do amor.

Nosso coração está aberto para o amor e o entregamos sem medo, porque já não temos mais nada a perder.

Então descobrimos, ao voltar para casa, que alguém já estava ali nos esperando, procurando o mesmo que procurávamos e sofrendo com as mesmas angústias e ansiedades.

Porque o amor é como a água que se transforma em nuvem: é elevada aos céus e pode ver tudo de longe – consciente de que um dia terá que voltar à terra.

Porque o amor é como a nuvem que se transforma em chuva: é atraída pela terra e fertiliza o campo.

Amor é apenas uma palavra, até o momento em que decidimos deixar que nos possua com toda a sua força.

Amor é apenas uma palavra, até que alguém chega para lhe dar um sentido.

Não desista. Geralmente é a última chave no chaveiro que abre a porta.

Mas um jovem discordou:

"Suas palavras são belas, mas na verdade nunca temos muitas escolhas. A vida e a nossa comunidade já se encarregaram de planejar nosso destino."

Um velho complementou dizendo:

"Eu não posso mais voltar atrás e recuperar os momentos perdidos."

E ele respondeu:

O que vou dizer agora pode não ter nenhuma utilidade na véspera de uma invasão. Mesmo assim, anotem e guardem minhas palavras para que um dia todos possam saber como vivíamos em Jerusalém.

*

Depois de refletir um pouco, o Copta continuou:

Ninguém pode voltar atrás, mas todos podem seguir adiante.

E amanhã, quando o sol nascer, basta apenas repetir para si mesmo:

Eu vou olhar esse dia como se fosse o primeiro de minha vida.

Ver as pessoas de minha família com surpresa e espanto – alegre por descobrir que estão ao meu lado, dividindo em silêncio algo chamado amor, muito falado, pouco entendido.

Pedirei para acompanhar a primeira caravana que aparecer no horizonte, sem perguntar em que direção está indo. E deixarei de segui-la quando algo interessante me chamar a atenção.

Passarei por um mendigo que me pedirá uma esmola. Talvez eu dê, talvez eu ache que ele irá gastar em bebida e siga adiante – escutando seus insultos e entendendo que essa é sua forma de comunicar-se comigo.

Passarei por alguém que está tentando destruir uma ponte. Talvez eu tente impedi-lo, talvez eu entenda que ele faz isso porque não tem ninguém que o espera do outro lado, e dessa maneira procura espantar a própria solidão.

Eu olharei tudo e todos como se fosse a primeira vez – principalmente as pequenas coisas, com as quais me habituei, esquecendo-me da magia que as cerca. As dunas do deserto, por exemplo, que se movem com uma energia que eu não compreendo, porque não consigo enxergar o vento.

No pergaminho que sempre carrego comigo, em vez de anotar coisas que não posso esquecer, escreverei um poema. Mesmo que jamais tenha feito isso um dia e mesmo que nunca mais torne a fazer, saberei que tive coragem de colocar meus sentimentos em palavras.

Quando chegar a um vilarejo que já conheço, entrarei por um caminho diferente. Estarei sorrindo, e os habitantes do lugar comentarão entre si: "Está louco, porque a guerra e a destruição tornaram a terra estéril."

Mas eu continuarei sorrindo, porque me agrada a ideia de que pensem que estou louco. Meu sorriso é minha maneira de dizer: "Podem acabar com meu corpo, mas não podem destruir minha alma."

Esta noite, antes de partir, vou me dedicar à pilha de coisas que nunca tive paciência para colocar em ordem. E terminarei descobrindo que ali está um pouco da minha história. Todas as cartas, todos os lembretes, recortes e recibos ganharão vida própria e terão histórias curiosas – do passado e do futuro – para me contar. Tantas coisas no mundo, tantos caminhos percorridos, tantas entradas e saídas na minha vida.

Vou colocar uma camisa que costumo usar sempre e, pela primeira vez, vou prestar atenção na maneira como foi costurada. Vou imaginar as mãos que teceram o algodão, e o rio onde as fibras da planta nasceram. Vou entender que todas essas coisas agora invisíveis fazem parte da história da minha camisa.

E mesmo as coisas com as quais estou habituado – como os sapatos que se transformaram em uma extensão de meus pés depois de muito uso – serão revestidas do mistério da descoberta. Como estou andando em direção ao futuro, ele me ajudará com as marcas que ficaram cada vez que tropecei no passado.

Que tudo o que minha mão tocar, meus olhos virem e minha boca provar seja diferente, embora continue igual. Assim, todas essas coisas deixarão de ser natureza-morta e passarão a me explicar por que estão comigo por tanto tempo – e manifestarão o milagre do reencontro com emoções que já tinham sido desgastadas pela rotina.

Provarei do chá que nunca bebi porque me disseram que era ruim. Passearei por uma rua onde nunca pisei porque me disseram que nada tinha de interessante. E descobrirei se quero voltar ali.

Quero olhar pela primeira vez o sol, se amanhã fizer sol.

Quero olhar para onde caminham as nuvens, se o tempo estiver nublado. Sempre acho que não tenho tempo para isso ou não presto atenção suficiente. Pois bem, amanhã me concentrarei no caminho das nuvens ou nos raios do sol e nas sombras que eles provocam.

Acima de minha cabeça existe um céu a respeito do qual a humanidade inteira, ao longo de milhares de anos de observação, teceu uma série de explicações razoáveis.

Pois eu esquecerei todas as coisas que aprendi a respeito das estrelas, e elas se transformarão de novo em anjos, ou em crianças, ou em qualquer coisa em que eu sentir vontade de acreditar no momento.

O tempo e a vida me deram muitas explicações lógicas para tudo, mas minha alma se alimenta de mistérios. Eu preciso do mistério, de ver no trovão a voz de um deus enraivecido, embora muitos aqui considerem isso uma heresia.

Eu quero encher de novo minha vida de fantasia, porque um deus enraivecido é muito mais curioso, aterrador e interessante que um fenômeno explicado por sábios.

Pela primeira vez sorrirei sem culpa, porque a alegria não é um pecado.

Pela primeira vez evitarei tudo o que me faz sofrer, porque o sofrimento não é uma virtude.

Não me queixarei da vida, dizendo: tudo é igual, não posso fazer nada para mudar. Porque estou vivendo este dia como se fosse o primeiro e descobrirei ao longo dele coisas que jamais soube que estavam ali.

Embora já tenha passado pelos mesmos lugares vezes incontáveis e dito "Bom dia" às mesmas pessoas, hoje o meu "Bom dia" será diferente. Não serão palavras educadas, mas uma maneira de abençoar os outros, desejando que todos compreendam a importância de estarem vivos – mesmo quando a tragédia nos ronda e nos ameaça.

Prestarei atenção na letra da música que o menestrel canta na rua, embora as pessoas não o estejam escutando porque têm a alma sufocada pelo medo. A música diz: "O amor reina, mas ninguém sabe onde está o seu trono / para conhecer o lugar secreto, primeiro tenho que submeter-me a ele."

E terei coragem de abrir a porta do santuário que leva até minha alma.

Que eu olhe a mim mesmo como se fosse a primeira vez que estivesse em contato com meu corpo e minha alma.

Que eu seja capaz de me aceitar como sou. Uma pessoa que caminha, que sente, que fala como qualquer outra, mas que – apesar de suas faltas – tem coragem.

Que eu fique admirado com meus gestos mais simples, como conversar com um desconhecido. Com as minhas emoções mais frequentes, como sentir a areia tocando meu rosto quando sopra o vento que vem de Bagdá. Com os momentos mais ternos, como contemplar minha mulher dormindo ao meu lado e imaginar o que ela está sonhando.

E se eu estiver sozinho na cama, chegarei até a janela, olharei o céu e terei certeza de que a solidão é uma mentira – o Universo me acompanha.

Então terei vivido cada hora do dia como uma constante surpresa para mim mesmo. Este Eu que não foi criado nem por meu pai, nem por minha mãe, nem pela minha escola, mas por tudo aquilo que vivi até hoje, que esqueci de repente e que estou descobrindo de novo.

E mesmo que este seja meu último dia na Terra, eu aproveitarei o máximo que puder, porque o viverei com a inocência de uma criança, como se estivesse fazendo tudo pela primeira vez.

E a esposa de um comerciante pediu:

"Fale-nos do sexo."

E ele respondeu:

Homens e mulheres murmuram entre si porque transformaram um gesto sagrado em um ato pecaminoso.

Este é o mundo em que vivemos. E roubar o presente da sua realidade é perigoso. Mas a desobediência pode ser uma virtude quando sabemos usá-la.

Se apenas os corpos se unem, não existe sexo – apenas prazer. O sexo vai muito além do prazer.

Nele caminham juntos o relaxamento e a tensão, a dor e a alegria, a timidez e a coragem de ir além dos limites.

Como colocar em sintonia tantos estados opostos? Só existe uma maneira: por meio da entrega.

Porque o ato da entrega significa: "Eu confio em você."

Não basta imaginar tudo o que poderia acontecer se nos permitíssemos unir não apenas nossos corpos, mas também nossas almas.

Mergulhemos juntos, portanto, no perigoso caminho da entrega. Embora perigoso, ele é o único a ser percorrido.

E mesmo que isso provoque grandes transformações em nosso mundo, não temos nada a perder – porque ganhamos o amor completo, abrimos a porta que une o corpo ao espírito.

Esqueçamos o que nos ensinaram: que é nobre dar e humilhante receber.

Porque, para a maioria das pessoas, generosidade consiste apenas em dar. Mas receber é também um ato de amor. Permitir que o outro nos faça feliz – e isso também o deixará feliz.

*

No ato sexual, quando somos excessivamente generosos e nossa maior preocupação é com o parceiro, nosso prazer também pode diminuir, ou ser destruído.

Quando somos capazes de dar e receber com a mesma intensidade, o corpo vai ficando tenso como a corda de um arqueiro, mas a mente vai relaxando, como a flecha que se prepara para ser disparada. O cérebro já não governa o processo; o instinto é o único guia.

Corpo e alma se encontram, e a Energia Divina se espalha. Não apenas naquelas partes que muitos consideram eróticas. Cada fio de cabelo, cada pedaço de pele emana uma luz de cor diferente, fazendo com que dois rios se transformem em um só, mais poderoso e mais belo.

Tudo o que é espiritual se manifesta de forma visível, tudo o que é visível se transforma em energia espiritual.

Tudo é permitido, se tudo for aceito.

O amor às vezes se cansa de falar apenas uma linguagem suave. Pois deixemos que se manifeste em todo o seu esplendor, queimando como o sol e destruindo florestas com seu vento.

Se um dos parceiros se entrega por completo, o outro fará a mesma coisa – já que a vergonha transformou-se em curiosidade. E a curiosidade nos leva a explorar tudo aquilo que não conhecíamos em nós mesmos.

Procurem ver o sexo como uma oferenda. Um ritual de transformação. Como em todo ritual, o êxtase está presente e glorifica o final – mas não é o único objetivo. O mais importante foi percorrer com nosso parceiro a estrada que nos levou a um território desconhecido, onde encontramos ouro, incenso e mirra.

Dê ao sagrado o sentido do sagrado. E caso surjam momentos de dúvida, é sempre preciso lembrar: não estamos sós nestes momentos – ambas as partes sentem a mesma coisa.

Abra sem temor a caixa secreta de suas fantasias. A coragem de um estimulará a bravura do outro.

E os verdadeiros amantes poderão entrar no jardim da beleza sem temor de serem julgados. Não serão mais dois corpos e duas almas que se encontram, mas uma única fonte de onde jorra a verdadeira água da vida.

As estrelas contemplarão seus corpos nus, e eles não terão vergonha. Os pássaros voarão por perto, e os amantes imitarão o ruído das aves. Os animais selvagens se aproximarão com cautela, porque mais selvagem é aquilo que estão vendo. E abaixarão a cabeça em sinal de respeito e submissão.

E o tempo deixará de existir. Porque na terra do prazer que nasce no verdadeiro amor, tudo é infinito.

E um dos combatentes que se preparava para a morte no dia seguinte, mas mesmo assim decidira vir até o átrio para escutar o que o Copta tinha a dizer, comentou:

"Fomos separados quando queríamos estar unidos. As cidades na rota dos invasores terminaram sofrendo as consequências de algo que não escolheram. O que os sobreviventes devem dizer aos seus filhos?"

E ele respondeu:

Nascemos sós e morreremos sós. Mas, enquanto estamos neste planeta, precisamos aceitar e glorificar nosso ato de fé em outras pessoas.

A comunidade é a vida: dela vem nossa capacidade de sobrevivência. Era assim quando habitávamos as cavernas, e continua do mesmo jeito até hoje.

Respeite aqueles que cresceram e aprenderam junto com você. Respeite aqueles que ensinaram. Quando chegar o dia, conte suas histórias e ensine – assim a comunidade pode continuar existindo e as tradições permanecerão as mesmas.

Quem não compartilha com os outros as alegrias e os momentos de desânimo jamais conhecerá suas próprias qualidades e seus defeitos.

*

Entretanto, esteja sempre alerta para o perigo que ronda a comunidade: as pessoas normalmente são atraídas por um comportamento comum. Têm como modelo as próprias limitações – e são cheias de preconceitos e medos.

Esse é um preço muito alto a pagar, porque para você ser aceito terá que agradar a todos.

E isso não é uma demonstração de amor para com a comunidade. Isso é uma demonstração de falta de amor por si mesmo.

Só é amado e respeitado aquele que se ama e se respeita. Jamais procure agradar a todo mundo, ou irá perder o respeito de todos.

Busque seus aliados e amigos entre gente que está convencida do que faz e de quem é.

Não digo: busque quem pensa igual a você. Digo: busque quem pensa diferente e quem você jamais conseguirá convencer de que é você que está certo.

Porque a amizade é uma das muitas faces do Amor, e o Amor não se deixa levar por opiniões: ele aceita incondicionalmente o companheiro, e cada um cresce à sua maneira.

A amizade é um ato de fé em outra pessoa, e não um ato de renúncia.

Não procure ser amado a qualquer preço, porque o Amor não tem preço.

Seus amigos não são aqueles que atraem o olhar de todos, que se deslumbram e afirmam: "Não existe ninguém melhor, mais generoso, mais cheio de qualidades em toda Jerusalém."

São aqueles que não podem ficar esperando que as

coisas aconteçam para depois decidir qual a melhor atitude a tomar: decidem à medida que agem, mesmo sabendo que isso pode ser muito arriscado.

São pessoas livres para mudar de direção quando a vida exige. Desbravam novos caminhos, contam suas aventuras e, com isso, enriquecem a cidade e a aldeia.

Se seguiram por uma estrada perigosa e equivocada, jamais irão lhe dizer: "Não faça isso."

Dirão apenas: "Segui por uma estrada perigosa e equivocada."

Porque respeitam sua liberdade, da mesma maneira que você os respeita.

Evite a todo custo aqueles que só estão ao seu lado nos momentos de tristeza, com palavras de consolo. Porque esses na verdade estão dizendo a si mesmos: "Eu sou mais forte. Eu sou mais sábio. Eu não teria dado esse passo."

E fique junto daqueles que estão ao seu lado nas horas de alegria. Porque nessas almas não existe o ciúme ou a inveja, apenas felicidade por vê-lo feliz.

Evite os que se julgam mais fortes. Porque na verdade estão escondendo a própria fragilidade.

Junte-se aos que não temem ser vulneráveis. Porque esses têm confiança em si mesmos, sabem que todos tropeçam em algum momento e não interpretam isso como um sinal de fraqueza, mas de humanidade.

Evite aqueles que falam muito antes de agir, aqueles que jamais deram um passo sem ter certeza de que seriam respeitados por isso.

Junte-se a quem jamais lhe disse quando você errou: "Eu teria feito de outra maneira." Porque, se não fizeram, não têm condições de julgar.

Evite os que procuram amigos para manter uma condição social ou para abrir portas de que nunca conseguiriam chegar perto.

Junte-se àqueles cuja única porta importante que estão procurando abrir é a do seu coração. E que jamais invadirão sua alma sem o seu consentimento, e que jamais usarão essa porta aberta para disparar uma flecha mortal.

A amizade tem as qualidades de um rio: contorna rochas, adapta-se aos vales e montanhas, às vezes transforma-se em lago até que a depressão esteja cheia e possa continuar seu caminho.

Porque assim como o rio não esquece que seu objetivo é o mar, a amizade não esquece que sua única razão de existir é demonstrar amor pelos demais.

Evite aqueles que dizem: "Acabou, preciso parar aqui." Porque esses não entendem que nem a vida nem a morte têm um fim; são apenas etapas da eternidade.

Junte-se aos que dizem: "Embora esteja tudo bem, precisamos seguir adiante." Porque sabem que sempre é necessário ir além dos horizontes conhecidos.

Evite os que se reúnem para discutir com seriedade e pretensão as decisões que a comunidade precisa tomar. Esses entendem de política, brilham diante dos outros e procuram demonstrar sabedoria. Mas não entendem que é impossível controlar a queda de um só fio de cabelo. Embora a disciplina seja importante, ela deve deixar suas portas e janelas abertas à intuição e ao inesperado.

Junte-se aos que cantam, contam histórias, desfrutam a vida e têm alegria nos olhos. Porque a alegria é contagiosa e sempre consegue descobrir uma solução onde a lógica apenas encontrou uma explicação para o erro.

Junte-se aos que deixam que a luz do Amor se manifeste sem restrições, sem julgamentos, sem recompensas, sem jamais ser bloqueada pelo medo de ser incompreendida.

Não importa como esteja se sentindo, todas as manhãs levante-se e prepare-se para emitir sua luz.

Os que não estão cegos verão seu brilho e se encantarão com ele.

E uma moça que raramente saía de casa, porque julgava que ninguém se interessava por ela, disse:

"Ensine-nos a elegância."

A praça inteira murmurou: como fazer uma pergunta dessas na véspera da invasão dos cruzados, quando sangue deverá correr por todas as ruas da cidade?

Mas o Copta sorriu – e seu sorriso não era de escárnio, mas de respeito pela coragem da moça.

E ele respondeu:

A elegância normalmente é confundida com superficialidade e aparência. Nada mais errado que isso. Algumas palavras são elegantes, outras conseguem ferir e destruir, mas todas são escritas com as mesmas letras. Flores são elegantes, embora escondidas entre as ervas do campo. A gazela que corre é elegante, embora esteja fugindo do leão.

A elegância não é uma qualidade exterior, mas uma parte da alma que é visível aos outros.

E mesmo nas paixões mais turbulentas, a elegância não deixa que os verdadeiros laços de união entre duas pessoas sejam rompidos.

Ela não está nas roupas que usamos, e sim na maneira como a usamos.

Ela não está na maneira como empunhamos a espada, mas no diálogo que pode evitar uma guerra.

*

A elegância é atingida quando todo o supérfluo é descartado, e descobrimos a simplicidade e a concentração: quanto mais simples e mais sóbria a postura, mais bela ela será.

E o que é a simplicidade? É o encontro com os verdadeiros valores da vida.

A neve é bonita porque tem apenas uma cor.

O mar é bonito porque parece uma superfície plana.

O deserto é belo porque parece apenas um campo de areia e rochas.

Mas, quando nos aproximamos de cada um deles, descobrimos como são profundos, íntegros, e conhecem suas qualidades.

As coisas mais simples da vida são as mais extraordinárias. Deixe que elas se manifestem.

Olhai os lírios do campo: não tecem nem fiam. E, no entanto, nem Salomão, em toda a sua glória, se vestiu como eles.

Quanto mais o coração se aproxima da simplicidade, mais ele é capaz de amar sem restrições e sem medo. Quando mais ele ama sem medo, mais capaz é de demonstrar elegância em cada pequeno gesto.

A elegância não é uma questão de gosto. Cada cultura tem uma maneira de ver a beleza, que muitas vezes é completamente diferente da nossa.

Mas em todas as tribos, em todos os povos, há valores que demonstram a elegância: hospitalidade, respeito, delicadeza nos gestos.

A arrogância atrai o ódio e a inveja. A elegância desperta o respeito e o Amor.

A arrogância nos faz humilhar o semelhante. A elegância nos ensina a caminhar pela luz.

A arrogância complica as palavras, porque acha que a inteligência é apenas para alguns eleitos. A elegância transforma pensamentos complexos em algo que todos possam entender.

Todo homem caminha com elegância e transmite luz à sua volta quando está percorrendo o caminho que escolheu.

Seus passos são firmes, seu olhar é preciso, seu movimento é belo. E mesmo nos momentos mais difíceis, seus adversários não conseguem distinguir sinais de fraqueza, porque a elegância o protege.

A elegância é aceita e admirada porque não faz nenhum esforço para isso.

Só o Amor dá forma ao que antes era impossível de ser sequer sonhado.

E só a elegância permite que essa forma possa se manifestar.

E um homem que sempre acordava cedo
para levar seus rebanhos aos pastos em
torno da cidade comentou:

"O grego estudou para dizer coisas
belas, enquanto nós temos que sustentar
nossas famílias."

E ele respondeu:

Palavras belas são ditas por poetas. E um dia alguém escreverá:

Eu dormi e achei que a vida era apenas Alegria.

Acordei e descobri que a vida era Dever.

Cumpri meu Dever e descobri que a vida era Alegria.

O trabalho é a manifestação do Amor que une os seres humanos. Por meio dele, descobrimos que não somos capazes de viver sem o outro e que o outro também precisa de nós.

Há dois tipos de trabalho.

O primeiro é aquele feito apenas por obrigação e para ganhar o pão de cada dia. Neste caso, as pessoas estão apenas vendendo seu tempo, sem entender que jamais poderão comprá-lo de volta.

Passam a existência inteira sonhando com o dia em que poderão finalmente descansar. Quando esse dia chega, já estão velhos demais para desfrutar tudo o que a vida pode oferecer.

Essas pessoas jamais assumem a responsabilidade por seus atos. Dizem: "Não tenho escolha."

*

Mas há o segundo tipo de trabalho.

Aquele que as pessoas também aceitam para ganhar o pão de cada dia, mas no qual procuram preencher cada minuto com dedicação e amor aos demais.

A esse segundo trabalho chamamos Oferenda. Porque podemos ter duas pessoas cozinhando a mesma comida e usando exatamente os mesmos ingredientes; mas uma delas colocou Amor no que fazia, enquanto a outra procurava apenas alimentar-se. O resultado será completamente diferente, embora o amor não possa ser visto nem colocado em uma balança.

A pessoa que faz a Oferenda sempre é recompensada. Quanto mais divide seu afeto, mais seu afeto se multiplica.

Quando a Energia Divina colocou o Universo em movimento, todos os astros e estrelas, todos os mares e florestas, todos os vales e montanhas receberam a oportunidade de participar da Criação. E o mesmo aconteceu com todos os homens.

Alguns disseram: "Não queremos. Não poderemos corrigir o que está errado e punir a injustiça."

Outros disseram: "Com o suor de meu rosto irrigarei o campo, e essa será minha maneira de louvar o Criador."

Mas veio o demônio e sussurrou com sua voz de mel: "Você terá que carregar essa rocha até o topo do monte cada dia e, quando chegar lá, ela voltará a escorregar de novo para baixo."

E todos os que acreditaram no demônio disseram: "A vida não tem mais sentido além de repetir a mesma tarefa."

E os que não acreditaram no demônio responderam: "Pois então passarei a amar a pedra que preciso carregar até o topo da montanha. Assim, cada minuto ao seu lado será um minuto perto do que amo."

A Oferenda é a oração sem palavras. E, como toda oração, exige disciplina – mas a disciplina não é uma escravidão, e sim uma escolha.

Não adianta dizer: "A sorte foi injusta comigo. Enquanto alguns percorrem o caminho do sonho, estou aqui apenas fazendo o meu trabalho e ganhando meu sustento."

A sorte não é injusta com ninguém. Todos nós estamos livres para amar ou detestar o que fazemos.

Quando amamos, encontramos em nossa atividade diária a mesma alegria daqueles que um dia partiram em busca dos seus sonhos.

Ninguém pode conhecer a importância e a grandeza do que faz. Nisso reside o mistério e a beleza da Oferenda: ela é a missão que nos foi confiada, e nós precisamos confiar nela.

O lavrador pode plantar, mas não pode dizer ao sol:

"Brilhe mais forte esta manhã." Não pode dizer às nuvens: "Façam chover hoje à tarde." Ele precisa fazer o que é necessário, arar o campo, colocar as sementes e aprender o dom da paciência por meio da contemplação.

Ele terá momentos de desespero, quando vir sua colheita perdida e achar que seu trabalho foi em vão. Também aquele que partiu em busca dos sonhos passa por momentos em que se arrepende de sua escolha, e tudo o que deseja é voltar e encontrar um trabalho que lhe permita viver.

Mas no dia seguinte o coração de cada trabalhador ou de cada aventureiro sentirá mais euforia e confiança. Ambos verão os frutos da Oferenda – e se alegrarão com eles.

Porque os dois estão cantando a mesma canção: a canção da alegria na tarefa que lhes foi confiada.

O poeta morrerá de fome se não existir o pastor. O pastor morrerá de tristeza se não puder cantar os versos do poeta.

Através da Oferenda, você está permitindo que os outros possam amá-lo.

E está aprendendo a amar os outros através do que lhe oferecem.

E o mesmo homem que havia perguntado sobre o trabalho insistiu:

"E por que certas pessoas são mais bem-sucedidas que outras?"

E ele respondeu:

O sucesso não vem do reconhecimento alheio. Ele é o resultado daquilo que você plantou com amor.

Quando chega a hora de colher, pode dizer para si mesmo: "Consegui."

Você conseguiu que seu trabalho fosse respeitado, porque ele não foi realizado apenas para sobreviver, mas para demonstrar seu amor pelos demais.

Você conseguiu terminar o que começou, por mais que não tenha previsto as armadilhas do caminho. E quando o entusiasmo diminuiu por causa das dificuldades, lançou mão da disciplina. E quando a disciplina ameaçava desaparecer por causa do cansaço, você usou seus momentos de descanso para pensar nos passos que precisavam ser dados no futuro.

Não se deixou paralisar pelas derrotas que estão presentes na vida de todos aqueles que arriscam algo. Não ficou pensando no que perdeu quando teve uma ideia que não funcionou.

Não parou quando teve momentos de glória. Porque o objetivo ainda não havia sido atingido.

E quando entendeu que era necessário pedir ajuda, não se sentiu humilhado. E quando soube que alguém estava precisando ser ajudado, mostrou tudo o que tinha aprendido, sem achar que estava revelando segredos, ou sendo usado pelos outros.

Porque para quem bate, a porta se abre.

Quem pede sabe que receberá.

Quem consola sabe que será consolado.

Mesmo que tudo isso não aconteça quando se está esperando, cedo ou tarde será possível ver os frutos daquilo que se dividiu com generosidade.

O sucesso chega para aqueles que não perdem tempo comparando o que fazem com o que os outros estão fazendo. Mas entra na casa de quem diz todos os dias: "Darei o melhor de mim."

As pessoas que procuram apenas o sucesso quase nunca o encontram, porque ele não é um fim em si, mas uma consequência.

Uma obsessão não ajuda em nada, confunde os caminhos e termina por tirar o prazer de viver.

Nem todo mundo que tem uma pilha de ouro do tamanho da colina que vemos ao sul da cidade é rico. Rico é aquele que está em contato com a energia do Amor a cada segundo de sua existência.

É preciso ter um objetivo em mente. Mas, à medida que se vai progredindo, não custa nada parar de vez em quando e desfrutar um pouco o panorama ao redor. A cada metro conquistado, você pode ver um pouco mais longe e aproveitar para descobrir coisas que ainda não tinha percebido.

Nesses momentos, é importante refletir: "Os meus valores estão intactos? Estou procurando agradar os outros e fazer o que esperam de mim, ou estou realmente convencido de que meu trabalho é a manifestação da minha alma e do meu entusiasmo? Quero conseguir o sucesso a qualquer preço, ou quero ser uma pessoa bem-sucedida porque consigo encher os meus dias com Amor?"

Pois é esta a manifestação do sucesso: enriquecer a vida, e não abarrotar seus cofres com ouro.

Porque um homem pode dizer: "Empregarei meu dinheiro para semear, colher, plantar e encher meu celeiro com o fruto da colheita, para que não me venha a faltar nada." Mas a Indesejada das Gentes aparece, e todo o seu esforço terá sido inútil.

Quem tiver ouvidos que ouça.

Não procure cortar caminho, mas percorrê-lo de tal maneira que cada ação deixe mais sólido o terreno e mais bela a paisagem.

Não tente ser o Senhor do Tempo. Se colher antes os frutos que plantou, eles estarão verdes e não poderão dar prazer a ninguém. Se, por medo ou insegurança, decidir adiar o momento de fazer a Oferenda, os frutos estarão podres.

Portanto, respeite o tempo entre a semeadura e a colheita.

E em seguida aguarde o milagre da transformação.

Enquanto o trigo ainda está no forno, ele não pode ser chamado de pão.

Enquanto as palavras estão presas na garganta, não podem ser chamadas de poema.

Enquanto os fios não estão unidos pelas mãos de quem os trabalha, não podem ser chamados de tecido.

*

Quando chegar o momento de mostrar aos outros sua Oferenda, todos ficarão admirados e dirão entre si: "Eis aí um homem de sucesso, porque todos desejam os frutos de seu trabalho."

Ninguém perguntará quanto custou consegui-los. Porque aquele que trabalhou com amor faz com que a beleza do que realizou seja tão intensa que nem sequer possa ser percebida com os olhos. Assim como o acrobata voa pelo espaço sem demonstrar qualquer tensão, o sucesso – quando chega – parece a coisa mais natural do mundo.

Entretanto, se alguém ousasse perguntar, a resposta seria: pensei em desistir, achei que Deus já não me escutava mais, muitas vezes tive que mudar de rumo e, em outras ocasiões, abandonei meu caminho. Mas, apesar de tudo, voltei e segui adiante, porque estava convencido de que não havia outra maneira de viver minha vida.

Aprendi que pontes devia cruzar e que pontes precisava destruir para sempre.

*

Eu sou o poeta, o agricultor, o artista, o soldado, o padre, o comerciante, o vendedor, o professor, o político, o sábio e o que apenas cuida da casa e dos filhos.

Vejo que existem muitas pessoas mais célebres que eu e, em muitos casos, essa celebridade é merecida. Em outros casos, é apenas uma manifestação de vaidade ou ambição, e não resistirá ao tempo.

O que é o sucesso?

É poder ir para a cama cada noite com a alma em paz.

E Almira, que ainda acreditava
que uma força de anjos e arcanjos
desceria dos céus para proteger a cidade
sagrada, pediu:

"Fale-nos do milagre."

E ele respondeu:

O que é um milagre?

Podemos defini-lo de várias maneiras: algo que vai contra as leis da natureza, intercessão em momentos de crise profunda, curas e visões, encontros impossíveis, intervenção no momento de enfrentar a Indesejada das Gentes.

Todas essas definições são verdadeiras. Mas o milagre vai além disso: é aquilo que de repente enche nossos corações de Amor. Quando isso acontece, sentimos uma profunda reverência pela graça que Deus nos concedeu.

Portanto, Senhor, o milagre nosso de cada dia nos dai hoje.

Mesmo que não sejamos capazes de notá-lo, porque nossa mente parece estar concentrada em grandes feitos e conquistas. Mesmo que estejamos ocupados demais com nosso cotidiano para saber como o nosso caminho foi alterado por ele.

Que, quando estivermos sós e deprimidos, tenhamos os olhos abertos para a vida que nos cerca: a flor nascendo, as estrelas se movendo nos céus, o canto distante do pássaro ou a voz próxima da criança.

Que possamos entender que existem certas coisas tão importantes que é necessário descobri-las sem a ajuda de ninguém. E que nesse momento não nos sintamos desamparados: estamos sendo acompanhados por Vós e estais pronto a interferir se nosso pé se aproximar perigosamente do abismo.

Que possamos seguir adiante apesar de todo o medo, e aceitar o inexplicável apesar de nossa necessidade de tudo explicar e conhecer.

Que compreendamos que a força do Amor reside em suas contradições. E que o Amor é preservado porque muda, e não porque permanece estável e sem desafios.

E que, cada vez que virmos o humilde ser exaltado e o arrogante ser humilhado, possamos também ver aí o milagre.

Que, quando nossas pernas estiverem cansadas, possamos caminhar com a força que existe em nosso coração. Que, quando nosso coração estiver cansado, possamos mesmo assim seguir adiante com a força da Fé.

Que possamos ver em cada grão de areia do deserto a manifestação do milagre da diferença, e isso nos encorajará a nos aceitarmos como somos. Porque, assim como não existem dois grãos de areia iguais em todo o mundo, tampouco existem dois seres humanos que pensam e agem da mesma maneira.

Que possamos ter humildade na hora de receber e alegria no momento de dar.

Que possamos entender que a sabedoria não está nas respostas que recebemos, mas no mistério das perguntas que enriquecem nossa vida.

Que jamais fiquemos presos às coisas que julgamos conhecer – porque na verdade pouco sabemos do Destino. Mas que isso nos leve a agir de maneira impecável, utilizando quatro virtudes que devem ser conservadas: ousadia, elegância, amor e amizade.

*

Senhor, o milagre nosso de cada dia nos dai hoje.

Assim como vários caminhos levam ao topo da montanha, existem muitos caminhos para que possamos atingir nosso objetivo. Que possamos reconhecer o único que merece ser percorrido: aquele onde o Amor se manifesta.

Que antes de despertar o amor nos outros, possamos acordar o Amor que dorme dentro de nós mesmos. Só assim poderemos atrair o afeto, o entusiasmo, o respeito.

Que saibamos distinguir entre as lutas que são nossas, as lutas para as quais estamos sendo empurrados contra a nossa vontade e as lutas que não podemos evitar porque o destino as colocou em nosso caminho.

Que nossos olhos se abram e possamos ver que nunca vivemos dois dias iguais. Cada um trouxe um milagre diferente, que fez com que continuássemos respirando, sonhando e caminhando debaixo do sol.

Que nossos ouvidos também se abram para escutar as palavras certas que surgem de repente da boca de nossos semelhantes – embora não tenhamos pedido nenhum conselho e nenhum deles saiba o que se passa em nossa alma naquele momento.

E que, quando abrirmos a boca, possamos não apenas falar a língua dos homens, mas também a língua dos anjos, e dizer: "Os milagres não são coisas que ocorrem contra as leis da natureza; nós pensamos dessa maneira porque na verdade não conhecemos as leis da natureza."

E que, no momento em que conseguirmos isso, possamos então abaixar a cabeça em respeito, dizendo: "Eu estava cego e consegui ver. Eu estava mudo e consegui falar. Eu estava surdo e consegui ouvir. Porque as maravilhas de Deus se operaram dentro de mim, e tudo o que eu julgava perdido retornou."

*

Porque assim operam os milagres.

Eles rasgam os véus e mudam tudo, mas não nos deixam enxergar o que existe além dos véus.

Eles nos fazem escapar ilesos do vale das sombras e

da morte, mas não dizem por que caminho nos conduziram até as montanhas de alegria e luz.

Eles abrem portas que estavam fechadas com cadeados impossíveis de romper, mas não usam nenhuma chave.

Eles cercam os sóis com planetas para que não se sintam isolados no Universo e impedem que os planetas se aproximem demais para que não sejam devorados pelos sóis.

Eles transformam o trigo em pão através do trabalho, a uva em vinho através da paciência e a morte em vida através da ressurreição dos sonhos.

Portanto, Senhor, dai-nos hoje o milagre nosso de cada dia.

E perdoai-nos se não somos capazes de reconhecê-lo sempre.

E um homem que escutava os cantos
de guerra vindos do lado de fora
das muralhas e que temia por si e por
sua família pediu:

"Fale-nos da ansiedade."

E ele respondeu:

Não existe nada de errado com a ansiedade.

Embora não possamos controlar o tempo de Deus, faz parte da condição humana desejar receber o mais rápido possível aquilo que se espera.

Ou afastar imediatamente aquilo que causa pavor.

Isso acontece desde nossa infância até o momento em que nos tornamos indiferentes à vida. Quando estamos intensamente conectados com o momento presente, sempre esperamos ansiosamente alguém ou alguma coisa.

Como dizer a um coração apaixonado que fique tranquilo, contemplando os milagres da Criação em silêncio, livre das tensões, dos medos e das perguntas sem resposta?

A ansiedade faz parte do amor, e não deve ser culpada por isso.

Como dizer a alguém que investiu sua vida e seus bens em um sonho, e não consegue ver os resultados, que não fique preocupado? Embora o agricultor não possa acelerar a marcha das estações para recolher os frutos do que plantou, ele espera impaciente a chegada do outono e da colheita.

Como pedir a um guerreiro que não fique ansioso antes de um combate?

Ele treinou à exaustão para aquele momento, deu o melhor de si, julga estar preparado, mas teme que os resultados estejam além de todo o esforço que fez.

Portanto, a ansiedade nasce com o homem. E como jamais poderemos dominá-la, teremos que aprender a conviver com ela – assim como o homem aprendeu a conviver com as tempestades.

*

Entretanto, para aqueles que não conseguem aprender essa convivência, a vida está fadada a ser um pesadelo.

O que deveriam agradecer – todas as horas que completam um dia – transforma-se em maldição. Querem que o tempo passe mais rápido, sem entender direito que isso também os está levando mais rápido ao encontro da Indesejada das Gentes.

E o que é pior: para tentar afastar a ansiedade, procuram coisas que os deixam mais ansiosos ainda.

A mãe, enquanto espera o filho retornar à casa, começa a imaginar o pior.

"A minha amada é minha e eu sou dela. Quando partiu, procurei-a pelas ruas da cidade e não a encontrei." E a cada esquina que passo, e a cada pessoa que pergunto e não consigo notícias, deixo que a ansiedade normal do amor se transforme em desespero.

O trabalhador, enquanto aguarda o fruto de seu trabalho, procura se ocupar com outras tarefas, e cada uma delas irá lhe trazer mais momentos de espera. Pouco tempo depois, a ansiedade de um se transformou na ansiedade de muitos, e já não consegue olhar nem o céu, nem as estrelas, nem as crianças brincando.

E tanto a mãe, como o amado, como o trabalhador, deixam de viver suas vidas e passam a apenas esperar o pior, acompanhar os boatos, reclamar que o dia não termina nunca. Tornam-se agressivos com os amigos, a família, os empregados. Alimentam-se mal, comendo muito ou não conseguindo ingerir nada. E de noite colocam a cabeça no travesseiro, mas não conseguem dormir.

É quando a ansiedade tece um véu em que nada mais pode ser visto com os olhos do corpo, apenas com os olhos da alma.

E os olhos da alma estão turvos porque não descansam.

Nesse momento, se instala um dos piores inimigos do ser humano: a obsessão.

A obsessão chega e diz:

"O seu destino a partir de agora me pertence. Farei com que procure por coisas que não existem.

"A sua alegria de viver também me pertence. Porque seu coração não terá mais paz, já que estou expulsando o entusiasmo e ocupando seu lugar.

"Deixarei que o medo se espalhe pelo mundo, e você estará sempre apavorado, sem saber por quê. Não precisa saber – o que precisa é ficar apavorado, e assim alimentar cada vez mais o medo.

"O seu trabalho, que antes era uma Oferenda, foi possuído por mim. Os outros dirão que você serve de exemplo, porque se esforça além do limite, e você sorrirá de volta e agradecerá o cumprimento.

"Mas no seu coração eu estarei dizendo que o seu trabalho agora é meu e servirá para afastá-lo de tudo e de todos – de seus amigos, de seu filho, de você mesmo.

"Trabalhe mais, para que não consiga pensar. Trabalhe além da conta, para que deixe de viver por completo.

"O seu Amor, que antes era a manifestação da Energia Divina, também me pertence. E aquela pessoa que você ama não poderá se afastar um momento sequer, porque eu estou na sua alma dizendo: 'Cuidado, ela pode ir embora e não voltar.'

"O seu filho, que antes deveria seguir o próprio caminho no mundo, agora passará a ser meu. Assim, farei com que você o cerque de cuidados desnecessários, que mate seu gosto pela aventura e pelo risco, que o faça sofrer cada vez que ele o desagrade e o deixe com sentimento de culpa porque não correspondeu a tudo o que você esperava dele."

*

Portanto, embora a ansiedade seja parte da vida, jamais deixe que ela passe a controlar seus movimentos.

Se chegar perto demais, diga-lhe: "Não me preocupo com o dia de amanhã, porque Deus já está lá, me esperando."

Se tentar convencê-lo de que ocupar-se de muitas coisas é ter uma vida produtiva, diga: "Eu preciso olhar as estrelas para ter inspiração e poder fazer bem o meu trabalho."

Se o ameaçar com o fantasma da fome, diga: "Nem só de pão vive o homem, mas também da palavra que vem dos Céus."

Se ela lhe disser que seu amor talvez não volte, diga: "A minha amada é minha, e eu sou dela. Nesse momento, ela está apascentando os rebanhos entre os rios, e eu posso escutar seu canto, mesmo a distância. Quando voltar para perto de mim, estará cansada e feliz – e eu lhe darei de comer e velarei seu sono."

Se ela lhe disser que seu filho não respeita o amor que lhe foi dedicado, responda: "O excesso de cautela destrói a alma e o coração, porque viver é um ato de coragem. E um ato de coragem é sempre um ato de amor."

Assim você manterá a ansiedade a distância.

Ela não desaparecerá nunca. Mas a grande sabedoria da vida é entender que podemos ser os senhores daquelas coisas que pretendiam nos escravizar.

E um jovem pediu:

"Fale-nos do que o futuro nos reserva."

E ele respondeu:

Todos sabemos o que nos espera no futuro: a Indesejada das Gentes. Que pode chegar a qualquer hora, sem aviso, e dizer: "Vamos, você precisa me acompanhar."

E por mais que não tenhamos vontade, tampouco temos escolha. Nesse momento, a nossa maior alegria, ou a nossa maior tristeza, será olhar o passado.

E responder à pergunta: "Será que amei o bastante?"

Ame. Não falo aqui apenas do amor por outra pessoa. Amar significa estar disponível para os milagres, para as vitórias e derrotas, para tudo o que acontece durante cada dia que nos foi concedido caminhar sobre a face da Terra.

Nossa alma é governada por quatro forças invisíveis: amor, morte, poder e tempo.

É necessário amar, porque somos amados por Deus.

É necessário ter a consciência da Indesejada das Gentes, para entender bem a vida.

É necessário lutar para crescer, mas sem cair na armadilha do poder que conseguimos com isso, porque sabemos que ele não vale nada.

Finalmente, é necessário aceitar que nossa alma – embora seja eterna – está neste momento presa na teia do tempo, com suas oportunidades e limitações.

O nosso sonho, o desejo que está em nossa alma, não veio do nada. Alguém o colocou ali. E este Alguém, que é puro amor e quer apenas nossa felicidade, só fez isso porque nos deu, junto com o desejo, as ferramentas para realizá-lo.

Ao atravessar um período difícil, lembre-se: mesmo que tenha perdido grandes batalhas, você sobreviveu e está aqui.

Isso é uma vitória. Demonstre sua alegria, celebrando sua capacidade de seguir adiante.

Derrame generosamente seu amor pelos campos e pastagens, pelas ruas da cidade grande e pelas dunas do deserto.

Mostre que se importa com os pobres, porque eles estão ali para que você possa manifestar a virtude da caridade.

E também que se importa com os ricos, que desconfiam de tudo e de todos, mantêm seus celeiros abarrotados e seus cofres cheios, mas apesar de tudo isso não conseguem afastar a solidão.

Jamais perca uma oportunidade de demonstrar seu amor. Sobretudo àqueles que estão próximos – porque é com eles que somos mais cautelosos, com medo de sermos feridos.

Ame. Porque você será o primeiro a se beneficiar com isso – o mundo à sua volta o recompensará, mesmo que num primeiro momento você diga a si mesmo: "Eles não conseguem entender meu amor."

O amor não precisa ser entendido. Precisa apenas ser demonstrado.

Portanto, o que lhe reserva o futuro depende inteiramente de sua capacidade de amar.

E para isso você precisa ter absoluta e total confiança no que está fazendo. Não deixe que outros digam "Aquele caminho é melhor" ou "Este percurso é mais fácil".

O maior dom que Deus nos deu foi o poder de nossas decisões.

Todos nós escutamos desde criança que aquilo que desejamos viver é impossível. À medida que acumulamos anos, acumulamos também as areias dos preconceitos, medos, culpas.

Livre-se disso. Não amanhã, nem hoje à noite, mas neste momento.

Já disse aqui: muitos de nós achamos que estamos ferindo as pessoas que amamos quando deixamos tudo para trás em nome dos sonhos.

Mas aqueles que realmente nos desejam o bem estão torcendo para nos ver felizes – mesmo que ainda não compreendam o que estamos fazendo e mesmo que, num primeiro momento, tentem nos impedir de seguir adiante com ameaças, promessas ou lágrimas.

A aventura dos dias que virão precisa estar cheia de romantismo, porque o mundo necessita disso; portanto, quando estiver montado em seu cavalo, sinta o vento no rosto e se alegre com a sensação de liberdade.

Mas não esqueça que você tem uma longa viagem pela frente. Se entregar-se demais ao romantismo, poderá cair. Se não parar para que ambos descansem, o cavalo poderá morrer de sede ou de cansaço.

Escute o vento, mas não esqueça o cavalo.

E justamente no momento em que tudo estiver dando certo e que seu sonho estiver quase ao alcance das mãos, é preciso ficar mais atento que nunca. Porque, quando estiver quase conseguindo, irá sentir uma culpa imensa.

Verá que está prestes a chegar aonde muitos outros não conseguiram pôr os pés, e achará que não merece o que a vida está lhe entregando.

Esquecerá tudo o que superou, tudo o que sofreu, tudo a que teve que renunciar. E, por causa da culpa, poderá destruir inconscientemente o que tanto custou para construir.

Este é o mais perigoso dos obstáculos, porque traz em si uma certa aura de santidade: renunciar à conquista.

Mas, se o homem entende que é digno daquilo pelo qual tanto lutou, então ele se dá conta de que na verdade não chegou sozinho. E precisa respeitar a Mão que o conduziu.

Só entende a própria dignidade aquele que foi capaz de honrar cada um de seus passos.

E um daqueles que sabia escrever
e procurava freneticamente anotar
cada palavra que o Copta dizia
parou para descansar e viu que estava
em uma espécie de transe. A praça,
os rostos cansados, os religiosos que
escutavam em silêncio – tudo aquilo
parecia parte de um sonho.

E, querendo demonstrar a si
mesmo que aquilo que estava vivendo
era real, pediu:

"Fale-nos da lealdade."

E ele respondeu:

A lealdade pode ser comparada a uma loja de riquíssimos vasos de porcelana, cuja chave o Amor nos confiou.

Cada um desses vasos é belo porque é diferente. Da mesma maneira que são diferentes entre si os homens, as gotas da chuva, ou as rochas que dormem nas montanhas.

Às vezes, por causa do tempo ou de um defeito inesperado, uma prateleira despenca e cai. E o dono da loja diz para si mesmo: "Investi meu tempo e meu amor durante todos esses anos nessa coleção, mas os vasos me traíram e se despedaçaram."

O homem vende sua loja e parte. Torna-se solitário e amargo – pensando que nunca mais poderá confiar em ninguém.

É verdade que existem vasos que quebram – o pacto de lealdade foi destruído. Nesse caso, melhor varrer os cacos e colocá-los na lata de lixo, porque o que se rompeu jamais voltará a ser como era.

Mas a prateleira outras vezes despenca por causa de coisas que estão além dos desígnios humanos: pode ser um terremoto, uma invasão inimiga, um descuido de quem entrou na loja sem olhar direito para os lados.

Homens e mulheres culpam uns aos outros pelo desastre. Dizem: "Alguém precisava ter visto que isso ia acontecer." Ou então: "Se eu fosse responsável, esses problemas teriam sido evitados."

Nada mais falso. Todos nós estamos presos nas areias do tempo, e não temos nenhum controle sobre isso.

*

O tempo passa, aquela prateleira que se rompeu é consertada.

Outros vasos que lutavam para encontrar seu lugar no mundo são colocados ali. O novo dono da loja, entendendo que tudo é passageiro, sorri e diz para si mesmo: "A tragédia me deu uma oportunidade e procurarei aproveitá-la. Descobrirei obras de arte que nunca pensei que existiam."

A beleza de uma loja de vasos de porcelana está no fato de que cada peça é única. Mas, quando colocadas lado a lado, mostram harmonia e refletem juntas o suor do oleiro e a arte do pintor.

Cada obra de arte ali não pode dizer: "Quero ficar em lugar de destaque e sairei daqui." Porque, no momento em que tentar fazer isso, se transformará em um monte de peças quebradas, sem nenhum valor.

E assim são os vasos, e assim são os homens, e assim são as mulheres.

E assim são as tribos, e assim são os navios, e assim são as árvores e estrelas.

Quando entendermos isso, poderemos sentar no fim da tarde ao lado do nosso vizinho, escutar com respeito o que ele tem a dizer e dizer o que ele precisa escutar. E nenhum dos dois tentará impor suas ideias ao outro.

Além das montanhas que separam as tribos, além da distância que separa os corpos, existe a comunidade dos espíritos. Fazemos parte dela, e ali não existem ruas povoadas de palavras inúteis – mas grandes avenidas que unem o que está distante, embora de vez em quando precisem ser reparadas por causa dos danos que o tempo causou.

Assim, o amante que retorna jamais será olhado com desconfiança, porque a lealdade acompanhou seus passos.

E o homem que ontem era visto como inimigo, porque havia uma guerra, hoje poderá voltar a ser visto como amigo, porque a guerra acabou e a vida continua.

O filho que partiu retornará no devido tempo – e voltará rico com as experiências que adquiriu no caminho. O pai o receberá de braços abertos e dirá a seus servos: "Trazei depressa a melhor roupa e vesti-o com ela; ponde um anel na mão e alparcas nos pés; porque este meu filho estava morto, e reviveu, tinha-se perdido, e foi achado."

E um homem que tinha a fronte
marcada pelo tempo e o corpo cheio de
cicatrizes que contavam as histórias dos
combates de que participou pediu:

"Fale-nos das armas que precisamos
usar quando tudo estiver perdido."

E ele respondeu:

Quando existe lealdade, as armas são inúteis.

Porque todas as armas são instrumentos do mal, não sendo instrumentos do sábio.

A lealdade é baseada no respeito, e o respeito é fruto do Amor. O Amor que afugenta os demônios da imaginação que desconfiam de tudo e de todos, e que devolve a pureza aos olhos.

Um sábio, quando deseja enfraquecer alguém, primeiro faz com que a pessoa acredite que é forte. Assim ela desafiará alguém ainda mais forte, caindo na armadilha e sendo destruída.

Um sábio, quando deseja diminuir alguém, primeiro faz com que a pessoa suba na montanha mais alta do mundo e julgue que tem muito poder. Assim, ela acreditará que pode ir ainda mais alto e despencará no abismo.

Um sábio, quando deseja retirar o que o outro possui, tudo o que faz é cobri-lo de presentes. Assim, o outro terá que cuidar do inútil e perderá tudo o mais, porque estará ocupado guardando aquilo que julga possuir.

Um sábio, quando não consegue saber o que o adversário planeja, finge um ataque. Todas as pessoas do mundo estão sempre preparadas para se defender, porque vivem com medo e com a paranoia de que os outros não gostam dela.

E o adversário – por mais brilhante que seja – é inseguro e reage com violência exagerada à provocação. Ao fazer isso, mostra todas as armas que tem, e o sábio descobre quais são seus pontos fortes e quais são seus pontos fracos.

Então, sabendo exatamente que tipo de confronto deve esperar, o sábio ataca ou recua.

Desta maneira os que parecem submissos e fracos conquistam e derrotam os duros e fortes.

*

Portanto, muitas vezes os sábios derrotam os guerreiros, embora os guerreiros também derrotem os sábios. Para evitar isso, o melhor é procurar a paz e o repouso que vivem nas diferenças entre os seres humanos.

Aquele que um dia foi ferido deve perguntar a si mesmo: "Vale a pena encher meu coração de ódio e arrastar esse peso comigo?"

Neste momento lança mão de uma das qualidades do Amor chamada Perdão. Isso o faz voar acima das ofensas ditas no calor da batalha, que o tempo em breve se encarregará de apagar, como o vento apaga os passos nas areias do deserto.

E quando o perdão se manifesta, aquele que ofendeu sente-se humilhado em seu erro e torna-se leal.

Sejamos, portanto, conscientes das forças que nos movem.

O verdadeiro herói não é aquele que nasceu para os grandes feitos, mas aquele que conseguiu – por meio de pequenas coisas – construir um escudo de lealdade ao seu redor.

Assim, quando salva o adversário da morte certa ou da traição, seu gesto jamais será esquecido.

O verdadeiro amante não é aquele que diz: "Você precisa estar a meu lado e eu preciso cuidar de você, porque somos leais um ao outro."

Mas aquele que entende que a lealdade só pode ser demonstrada quando a liberdade está presente. E sem medo da traição, aceita e respeita o sonho do outro – confiando na força maior do Amor.

O verdadeiro amigo não é aquele que diz: "Você me feriu hoje, e estou triste."

Ele diz: "Você me feriu hoje por razões que desconheço e que talvez até mesmo você desconheça, mas amanhã sei que poderei contar com sua ajuda, e não vou ficar triste com isso."

E o amigo responde: "Você é leal, porque disse o que sentia. Nada pior do que aqueles que confundem lealdade com aceitação de todos os erros."

A mais destruidora das armas não é a lança ou o canhão – que podem ferir o corpo e destruir a muralha. A mais terrível de todas as armas é a palavra – que arruína uma vida sem deixar vestígios de sangue, e cujas feridas jamais cicatrizam.

Sejamos, portanto, senhores de nossa língua, para não sermos escravos de nossas palavras. Mesmo que elas sejam usadas contra nós, não entremos em um combate que jamais terá um vencedor. No momento em que nos igualarmos ao adversário vil, estaremos lutando nas trevas, e o único a ganhar será o Dono das Trevas.

*

A lealdade é uma pérola entre os grãos de areia, que só aqueles que realmente entendem seu significado podem vê-la.

Assim, o Semeador da Discórdia pode passar mil vezes pelo mesmo lugar, mas jamais enxergará aquela pequena joia que mantém unidos os que precisam continuar unidos.

A lealdade jamais pode ser imposta pela força, pelo medo, pela insegurança ou pela intimidação.

Ela é uma escolha que só os espíritos fortes têm coragem de fazer.

E, por ser uma escolha, jamais é tolerante com a traição, mas é sempre generosa com os erros.

E, por ser uma escolha, resiste ao tempo e aos conflitos passageiros.

E um dos jovens da audiência, vendo
que o sol já estava quase escondido no
horizonte e que em breve o encontro com
o Copta chegaria ao fim, perguntou:

"E quanto aos inimigos?"

E ele respondeu:

Os verdadeiros sábios não se lamentam nem pelos vivos nem pelos mortos. Portanto, aceita o combate que o espera amanhã, porque somos feitos do Espírito Eterno, que muitas vezes nos coloca diante de situações que precisamos enfrentar.

Neste momento, as perguntas inúteis devem ser esquecidas, porque tudo o que fazem é atrapalhar os reflexos do guerreiro.

Um guerreiro no campo de batalha está cumprindo seu destino – e a ele deve entregar-se. Pobres dos que pensam que podem matar ou morrer! A Energia Divina não pode ser destruída, e tudo o que faz é mudar de forma. Diziam os sábios da Antiguidade:

Acate isso como um desígnio superior, e siga adiante. Não são as batalhas terrenas que definem o homem – porque assim como o vento muda de direção, também a sorte e a vitória sopram em todos os sentidos. O derrotado de hoje é o vencedor de amanhã, mas, para que isso aconteça, o combate deve ser aceito com honra.

Assim como alguém veste roupas novas, abandonando

as antigas, a alma aceita novos corpos materiais, abando-
nando os velhos e inúteis. Sabendo disto, não te deves afligir
por causa do corpo.

Esse é o combate que enfrentaremos esta noite ou amanhã pela manhã. A história se encarregará de contar como foi.

Mas, como estamos chegando ao final de nosso encontro, não podemos perder tempo com isso.

Quero, portanto, falar de outros inimigos: aqueles que se encontram ao nosso lado.

Todos nós teremos que enfrentar muitos adversários na vida, porém o mais difícil de derrotar será aquele que tememos.

Todos nós encontraremos rivais em qualquer coisa que fizermos, porém os mais perigosos serão aqueles que acreditamos ser nossos amigos.

Todos sofreremos quando formos atacados e feridos em nossa dignidade, mas a dor maior será provocada por aqueles que considerávamos um exemplo para nossa vida.

Ninguém pode evitar cruzar com aqueles que o irão trair e caluniar. Mas todos podem afastar o mal antes que ele mostre sua verdadeira face — porque um comportamento excessivamente gentil já mostra um punhal escondido e pronto para ser usado.

Os homens e mulheres leais não se incomodam de

mostrar quem são, porque outros espíritos leais entendem suas qualidades e defeitos.

Mas, de alguém que procura agradá-lo o tempo todo, afaste-se.

E cuidado com a dor que você pode causar a si mesmo, se deixar que um coração covarde e vil faça parte do seu mundo. Depois que o mal estiver consumado, não adianta culpar ninguém: a porta foi aberta pelo dono da casa.

Quanto mais frágil é o caluniador, mais perigosas são suas ações. Não seja vulnerável aos espíritos fracos que não suportam ver um espírito forte.

Se alguém o enfrenta por causa de ideias ou ideais, aproxime-se e aceite a luta – porque não há um momento na vida em que o conflito não esteja presente, e às vezes ele precisa mostrar-se à luz do dia.

Mas não lute para provar que está certo, ou para impor suas ideias e ideais. Aceite o combate para manter seu espírito limpo e sua vontade impecável. Quando a luta acabar, ambos os lados sairão vencedores, porque testaram seus limites e suas habilidades.

Mesmo que num primeiro momento um deles diga: "Eu venci."

E o outro se entristeça, pensando: "Fui derrotado."

Como ambos respeitam a coragem e a determinação do outro, logo virá o tempo em que tornarão a caminhar de mãos dadas, mesmo que para isso precisem esperar mil anos.

Entretanto, se alguém aparecer apenas para provocá-lo, limpe a poeira dos seus sapatos e siga adiante. Lute apenas com quem merece – e não com quem usa artimanhas para prolongar uma guerra que já acabou, como acontece com todas as guerras.

A crueldade não vem dos guerreiros que se encontram em um campo de batalha e sabem o que estão fazendo ali. Mas daqueles que manipulam a vitória e a derrota de acordo com seus interesses.

O inimigo não é aquele que está diante de você, com a espada na mão. É o que está ao seu lado, com o punhal nas costas.

A mais importante das guerras não é travada com o espírito elevado e a alma aceitando seu destino. É aquela que está em curso neste momento em que conversamos – cujo campo de batalha é o Espírito, onde se enfretam o Bem e o Mal, a Coragem e a Covardia, o Amor e o Medo.

Não procure pagar o ódio com ódio, mas com justiça.

O mundo não se divide entre inimigos e amigos, mas entre fracos e fortes.

Os fortes são generosos na vitória.

Os fracos se juntam e atacam aqueles que perderam, sem saber que a derrota é transitória. Dentre os perdedores, escolhem aqueles que parecem mais vulneráveis.

Se isso acontecer com você, pergunte a si mesmo se gostaria de assumir o papel de vítima.

Se a resposta for sim, jamais irá se livrar disso pelo resto da vida. E será presa fácil cada vez que estiver diante de uma decisão que exige coragem. Seu olhar de derrotado é sempre mais forte do que suas palavras de vencedor, e todos perceberão isso.

Se a resposta for não, resista. Melhor reagir agora, quando as feridas são facilmente curadas – mesmo que isso exija tempo e paciência.

Passará algumas noites em claro, pensando: "Eu não mereço isso."

Ou achando que o mundo é injusto, porque não lhe deu a acolhida que esperava. Muitas vezes envergonhado da humilhação que sofreu diante dos outros companheiros, da amada, dos pais.

Mas, se não desistir, a matilha de hienas se afastará e irá procurar outros para o papel de vítima. Esses terão que aprender a mesma lição por si mesmos, porque ninguém poderá ajudá-los.

*

Portanto, os inimigos não são os adversários que foram colocados ali para testar sua coragem.

São os covardes, que foram colocados ali para testar sua fraqueza.

A noite havia descido por completo.
O Copta se virou para os religiosos que
tudo viam e escutavam e perguntou se
tinham algo a dizer. Os três acenaram
positivamente com a cabeça.

E o rabino disse:

"Um grande religioso, quando via que os judeus estavam sendo maltratados, ia para a floresta, acendia um fogo sagrado e fazia uma reza especial, pedindo a Deus que protegesse seu povo.

E Deus enviava um milagre.

Mais tarde, seu discípulo ia para o mesmo lugar da floresta e dizia: 'Mestre do Universo, eu não sei como acender o fogo sagrado, mas ainda sei a reza especial. Escutai-me, por favor!'

O milagre acontecia.

Mais uma geração se passou, e outro rabino, quando via as perseguições ao seu povo, ia para a floresta, dizendo: 'Eu não sei acender o fogo sagrado, nem conheço a prece especial, mas ainda me lembro do lugar. Ajudai-nos, Senhor!'

E o Senhor ajudava.

Cinquenta anos depois, o rabino Israel, em sua cadeira de rodas, falava com Deus: 'Não sei acender o fogo sagrado, não conheço a oração e não consigo sequer achar o lugar na floresta. Tudo o que posso fazer é contar esta história, esperando que Deus me escute.'

E mais uma vez o milagre acontecia.

Vão, portanto, e contem a história desta tarde."

*

E o imã que estava a cargo da mesquita de Al-Aqsa, depois de esperar respeitosamente que seu amigo rabino terminasse de falar, começou:

"Um homem bateu à porta do amigo beduíno para lhe pedir um favor:

— Quero que me empreste quatro mil dinares porque preciso pagar um débito. É possível?

O amigo pediu que a mulher juntasse tudo o que tinham de valor, mas mesmo assim não era suficiente. Foi necessário sair e solicitar dinheiro aos vizinhos, até que conseguiram a quantia necessária.

Quando o homem foi embora, a mulher notou que o marido estava chorando.

— Por que está triste? Agora que nos endividamos com nossos vizinhos, você tem medo de que não sejamos capazes de pagar o débito?

— Nada disso. Choro porque este é um amigo que quero muito, e apesar disso eu não sabia como estava. Só me lembrei dele quando precisou bater à minha porta para pedir dinheiro emprestado.

Vão, portanto, e contem a todos o que ouviram esta tarde, de modo que possamos ajudar nosso irmão antes mesmo que ele precise."

*

E assim que o imã terminou de falar, o sacerdote cristão começou:

"Eis que saiu o semeador a semear. E aconteceu de uma parte da semente cair junto do caminho, e vieram as aves do céu e a comeram;
E outra caiu sobre pedregais, onde não havia muita terra, e nasceu logo, porque não tinha terra profunda. Mas, saindo o sol, queimou-se; e, porque não tinha raiz, secou-se.
E outra caiu entre espinhos e, crescendo os espinhos, a sufocaram e não deu fruto.

E outra caiu em boa terra e deu fruto, que vingou e cresceu; e um produziu trinta, outro sessenta e outro cem.
Portanto, espalhem suas sementes em todos os lugares que visitarem, porque não sabemos aquelas que irão florescer para iluminar a próxima geração."

A noite agora cobria a cidade de Jerusalém, e o Copta pediu a todos que voltassem às suas casas e anotassem tudo o que tinham ouvido, e àqueles que não sabiam escrever que procurassem se lembrar de suas palavras. Mas antes que a multidão partisse, disse ainda:

Não pensem que estou lhes entregando um tratado de paz. Na verdade, a partir de agora espalharemos pelo mundo uma espada invisível, para que possamos lutar contra os demônios da intolerância e da incompreensão. Procurem carregá-la até onde suas pernas aguentarem. E quando as pernas não aguentarem mais, passem adiante a palavra ou o manuscrito, sempre escolhendo pessoas dignas de empunhar esta espada.

Se alguma aldeia ou cidade não os quiser receber, não insistam. Voltem pelo mesmo caminho de onde vieram e sacudam a poeira do chão que grudou em seus sapatos. Porque esses serão condenados a repetir os mesmos erros por muitas gerações.

Mas bem-aventurados os que ouvirem as palavras ou lerem o manuscrito, porque o véu irá se rasgar para sempre, e nada mais haverá de oculto que não lhes seja revelado.

Ide em paz.

Aleph

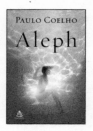

Num tom franco e extremamente pessoal, Paulo Coelho relata sua incrível jornada de autodescoberta. Como o pastor Santiago de seu grande sucesso *O Alquimista*, o escritor vive uma grave crise de fé. À procura de um caminho de renovação e crescimento espiritual, ele resolve começar tudo de novo: viajar, experimentar, reconectar-se às pessoas e ao mundo.

Ao embarcar para a África, depois para a Europa e, por fim, cruzar a Ásia pela ferrovia transiberiana, Paulo busca revitalizar sua energia e sua paixão. Mas nem pode imaginar que surpresa essa peregrinação lhe reserva.

O dom supremo
Henry Drummond
Adaptado por Paulo Coelho

"No fim do século XIX, o jovem missionário Henry Drummond é convidado a substituir um famoso pregador. A princípio a plateia fica contrariada, mas logo é cativada por sua análise da carta de São Paulo aos Coríntios.

Esse sermão tornou-se um clássico e sem dúvida é um dos textos mais bonitos já escritos sobre o Amor. Drummond o decompõe em nove elementos: paciência, bondade, generosidade, humildade, delicadeza, entrega, tolerância, inocência e sinceridade.

Paulo Coelho traduz e adapta o texto de Henry Drummond, oferecendo uma mensagem verdadeira e poderosa que nos ajudará a incorporar o Amor em nosso dia a dia.

Na margem do rio Piedra eu sentei e chorei é uma parábola sobre o amor que transcende todas as coisas. O romance é ao mesmo tempo uma lição de vida e um convite para seguirmos o caminho do coração e vencermos nossos medos.

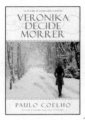

Veronika decide morrer faz um retrato tocante daqueles que estão na fronteira entre vida e morte, sanidade e loucura, felicidade e desespero, transmitindo a mensagem poética de que cada dia é um verdadeiro milagre.

O diário de um mago é o relato da peregrinação feita pelo autor em 1986 pelo Caminho de Santiago. Motivada por sua ambição espiritual e pelo desejo de se tornar escritor, a travessia se transforma em algo maior do que ele imaginava.

Maria sai de casa à procura de aventura, e é na Suíça, como prostituta, que encontra as respostas para suas perguntas mais profundas. *Onze minutos* parte da banalização do amor e do sexo para nos fazer refletir sobre a natureza humana e a liberdade de sermos nós mesmos.

O Alquimista refaz os passos de um pastor da Andaluzia que viaja para o deserto em busca de um tesouro enterrado nas Pirâmides. A jornada para encontrar bens materiais torna-se uma descoberta das riquezas que escondemos dentro de nós mesmos.

INFORMAÇÕES SOBRE OS
PRÓXIMOS LANÇAMENTOS

Para saber mais sobre os títulos e autores
da EDITORA SEXTANTE,
visite o site www.sextante.com.br
ou siga @sextante no Twitter.
Além de informações sobre os próximos lançamentos,
você terá acesso a conteúdos exclusivos e poderá
participar de promoções e sorteios.

Se quiser receber informações por e-mail,
basta cadastrar-se diretamente no nosso site.

Para enviar seus comentários sobre este livro,
escreva para atendimento@esextante.com.br
ou mande uma mensagem para @sextante no Twitter.

EDITORA SEXTANTE
Rua Voluntários da Pátria, 45 / 1.404 – Botafogo
Rio de Janeiro – RJ – 22270-000 – Brasil
Telefone: (21) 2538-4100 – Fax: (21) 2286-9244
E-mail: atendimento@esextante.com.br